LA PETITE FILLE
SUR LA BANQUISE

ADÉLAÏDE BON

LA PETITE FILLE
SUR LA BANQUISE

BERNARD GRASSET
PARIS

Photo de bande : Collection personnelle de l'auteur

ISBN : 978-2-246-81589-1

À la docteure Muriel Salmona,

à l'enquêtrice au long cours,

à toutes les victimes de violences,

mes héroïnes.

Lorsque les crimes commencent à s'accumuler, ils deviennent invisibles. Lorsque les souffrances deviennent insupportables, les cris ne sont plus entendus. Les cris, aussi, tombent comme la pluie en été.

BERTOLT BRECHT

Est-ce qu'elle s'est essuyé la bouche du revers de la main, passé la langue sur les dents, recoiffée un peu ? Est-ce elle ou lui qui a remonté la culotte, remis un semblant d'ordre dans la robe-tablier rouge, tiré sur le chemisier blanc ? Elle le regarde en opinant du menton, comme les petits chiens qui hochent la tête sur les plages arrière des voitures. *Je suis gentille, je suis jolie, j'aime ça, tu es mon ami, tu aimes mes grosses fesses, tu me fais du bien, je suis gourmande, je ne dirai rien, c'est notre secret, je te promets, je ne dirai rien.* Des mots qu'il lui a dits et dont elle ne se souvient pas, pas plus qu'elle ne se souvient de ce qu'il lui a fait.

Elle reprend le sachet en papier blanc des carambars et le pot de flocons pour poissons rouges qu'elle avait posé sur le coin nu d'une marche.

Quelque chose s'est renversé, elle ne sait pas si c'est le sol ou si c'est elle, elle se concentre pour gravir l'escalier.

Sur le palier, elle se retourne quand il l'appelle, promet encore en hochant la tête.

Elle est allongée sur son lit, elle essaye d'attraper une larme du bout de la langue. Les lattes du couloir grincent, elle saisit son livre. *Sans famille*, Hector Malot.

— *C'est ton livre qui te fait pleurer ?* demande son père, alarmé peut-être qu'elle se soit glissée comme une ombre de l'entrée de l'appartement à sa chambre, sans le rituel tonitruant du *Bonjour ma chère famille que j'aime et que j'adore*, sans claquer la porte d'entrée, sans venir rien leur raconter.

Sa tête se déplace. Gauche. Droite. Droite. Gauche.

— *Il s'est passé quelque chose ?*

Sa tête se déplace. Haut. Bas. Bas. Haut.

Elle est assise entre ses parents sur le canapé bordeaux du salon, son frère et ses sœurs ont disparu. Elle regarde les murs tendus de tissu, elle ne les reconnaît pas, comme elle ne reconnaît pas ses propres parents. Tout est soudain changé sans qu'elle puisse saisir quoi. Ils lui parlent, elle a du mal à les entendre, à les comprendre. Elle flotte.

Elle est assise à l'arrière de la voiture de police, à côté de son père. Les policiers mettent les gyrophares pour la faire sourire. Elle sourit. Elle est gentille. Elle n'est plus là. Elle est morte. Personne ne semble s'en rendre compte.

Au commissariat, une policière lui pose des questions, elle doit répondre par oui ou par non, elle hoche ou elle secoue la tête, selon. Elle ne ressent rien. La policière note, *Il m'a touché mon zizi : devant et derrière. Il a saisi ma main gauche qu'il a posée sur son sexe.*

On lui dit qu'elle *porte plainte pour attouchement sexuel* et que le monsieur de la cage d'escalier, c'est *un pédophile.* Elle hoche la tête.

Elle ne sent pas les méduses s'immiscer en elle ce jour-là, elle ne sent pas les longs tentacules transparents la pénétrer, elle ne sait pas que leurs filaments vont l'entraîner peu à peu dans une histoire qui n'est pas la sienne, qui ne la concerne pas. Elle ne sait pas qu'ils vont la déporter de sa route, l'attirer vers des profondeurs désertes et inhospitalières, entraver jusqu'au moindre de ses pas, la faire douter de ses poings, rétrécir année après année le monde qui l'entoure à une petite poche d'air sans issue. Elle ne sait pas que désormais elle est en guerre et que l'armée ennemie habite en elle.

Personne ne la prévient, personne ne lui explique, le monde s'est tu.

Les années passeront. Ils oublieront ce dimanche ensoleillé du mois de mai, ou plutôt, ils n'en parleront pas. Elle non plus, elle n'y pensera plus.

Bien sûr, tu avais connu, avant, disputes, chagrins, colères, défaites et enterrements. Tu avais appris déjà que d'aimer fort quelqu'un ne l'empêche pas de mourir, mais qu'on peut continuer à lui parler ensuite, comme tu parlais à Grand-Père, sous le prunier. Tu savais qu'il y a des maladies dont nul ne guérit et des questions auxquelles rien ne répond. Et des réponses pourtant dans les toiles d'araignée scintillantes de rosée qu'aucun mot ne saurait contenir. Dieu habitait au plus chaud de ton cœur et dans le bourdonnement des insectes au printemps. Tu grimpais au faîte des arbres pour te sentir ployer avec eux sous la brise. Tu avais un amoureux qui faisait de l'escrime et à qui tu avais dessiné un jour les douze enfants que vous auriez ensemble. Tu piquais des colères telluriques à t'asseoir sur le trottoir en refusant net de t'en relever. Tu collectionnais les mots jolis et les mots fous dans des carnets. Tu voulais être pompier, sauveuse du monde, grande écrivaine. Tu te foutais des miroirs et des apparences. Tu avais neuf ans.

I

Le lendemain, elle en parle à son amoureux. La fin de la récréation a sonné, ils sont debout à côté de son pupitre – je ne sais plus comment elle en a parlé, quels mots elle a utilisés – elle sentait que quelque chose avait basculé et qu'elle se devait de le lui dire. Elle n'attend pas sa réponse, elle va s'asseoir, bien droite.

Elle commence à manger plus, elle était gourmande avant – je ne sais pas si elle se rend compte que désormais, manger ce n'est plus se nourrir, c'est se calmer.

Elle a tout pour être heureuse. Elle a une enfance très privilégiée, très protégée. Elle est en bonne santé, elle est jolie, elle est intelligente. Elle habite à Paris. Elle skie l'hiver, se baigne l'été, elle visite des musées à l'étranger. Elle est issue d'une bonne famille installée dans les beaux quartiers, elle est bien élevée, elle sait se tenir en société. Elle est blanche, française depuis Morvan Ier roi des Bretons et Charlemagne, élevée dans la foi catholique et le souci d'autrui, elle a un grand-père Mort pour la France. Son père a réussi, sa mère aussi. Des parents aux métiers passionnants, à responsabilités, à haute valeur ajoutée, à la vie mondaine foisonnante et fertile. Des parents occupés, maladroits, tendres et profondément aimants.

Lorsqu'elle est seule, elle discute avec un énorme yéti blanc, qu'elle est la seule à voir, et avec Pandi Panda, son vieil ours de Chine. Ils la protègent, ils la rassurent et, auprès d'eux, elle peut se déposer. Elle suce encore son pouce. Souvent, elle agrippe la main du yéti, dans la rue, ou quand il y a trop de monde et qu'elle ne peut quand même pas tout surveiller toute seule.

Certains jours, les objets autour d'elle discutent entre eux et elle peut passer une heure entière dans la salle de bains, immobile, à les écouter converser dans sa tête.

Certaines nuits, année après année, elle est en train de rêver, quelque chose interrompt le cours du rêve, quelque chose, un endroit précis qu'elle remarque sur son corps et qui se met à tourner, à tourner de plus en plus vite, le tourbillon grandit et l'aspire, les contours de son corps s'effritent, peu à peu ils s'effacent, elle ne parvient pas à détourner le regard, son corps est un désert de sable qui tourne et qui s'effondre, le sable est visqueux, il lui emplit la bouche, rien à quoi se retenir, elle glisse, elle se dilue, et quand le tourbillon a envahi

18

tout l'espace du rêve, quand elle va disparaître, elle hurle. Elle se réveille en sursaut. Elle écoute. Elle a peur d'avoir vraiment hurlé, d'avoir réveillé ses parents. Il y a quelque chose de terriblement sale dans ce rêve, quelque chose dont elle ne doit pas parler.

Au printemps de l'année suivante, elle a dix ans et un tee-shirt blanc à capuche. Elle est contente d'échapper pour une fois aux cols ronds et aux robes à smocks. Une des crâneuses, l'élite de la cour de récréation, la complimente sur sa tenue, et voilà son cœur qui déborde, son cœur qui n'en revient pas, elle qui se sent si nulle si moche si grosse, elle qui ne sait déjà plus se regarder autrement qu'à travers les yeux d'autrui.

Au goûter d'anniversaire d'une amie, on joue à cache-cache. Son amoureux l'entraîne derrière l'un des lourds rideaux du salon. Ils se regardent, elle rosit, il approche ses petites lèvres, elle a le souffle court, elle ferme les yeux et soudain, elle se fige. Quelque chose s'est glissé en elle et l'a saisie, une chose dégoûtante, une sensation de tout son corps, un froid qui fait trop peur pour être décrit.

Déçu, il ira faire des bisous à une autre.

Sa mère l'amène chez une tante nutritionniste, elle a beaucoup grossi. Elle doit noter tout ce qu'elle mange sur un petit carnet, mais il y a des aliments qu'elle préfère ne pas noter, des quantités qu'elle dissimule, elle qui termine les plats sans que personne la voie, elle qui avale les restes au lieu de les jeter, la première levée pour desservir la table, la souriante, la serviable, celle qui file s'abrutir en cuisine.

De jour en jour, les méduses se propagent.

Sa mère l'amène dans un grand commissariat au bord de la Seine. Les policiers lui tendent un classeur bourré de photos de messieurs, elle doit les regarder avec attention, un à un. Elle aimerait pouvoir leur dire *C'est lui*, mais ces visages anonymes ne lui disent rien, ne lui rappellent rien. Elle n'ose pas demander si tous ces messieurs-là, ces centaines de messieurs de papier qui la regardent, ce sont des *pédophiles*, eux aussi.

En sixième, la professeure d'histoire propose aux volontaires de faire un exposé sur une période de leur choix. Elle choisit la Shoah. Elle passe des heures à la bibliothèque du quartier, à regarder de gentils squelettes en pyjamas rayés et au regard éteint offrir leurs sourires édentés aux photographes de l'Armée Rouge. Elle ne dit pas à ses parents qu'elle a emprunté *Nuit et Brouillard*, elle attend d'être seule un après-midi pour le voir.

21

Son exposé est tellement fouillé qu'il s'étend sur quatre heures de cours et que la professeure d'histoire s'en inquiète auprès de ses parents.

Elle est vive et enjouée en compagnie, et dès qu'elle échappe aux regards, elle mange. Elle rit toujours, peut-être même plus qu'avant, c'est qu'elle a le cœur si lourd que quand la joie lui vient, elle s'y jette.

Elle retourne avec sa mère dans le grand commissariat près de la Seine. Un policier la fait entrer dans une pièce sombre : de l'autre côté d'une cloison en partie vitrée, cinq types aux visages clos sont alignés en face d'elle et la regardent. Elle a très peur. Le policier la rassure, *C'est une glace sans tain, ils ne te voient pas.* Elle ne comprend pas, *une glace sans thym*, elle se force à sourire, à s'approcher un peu de la vitre, à dévisager les types. Elle aimerait être utile, mais ces visages-là ne lui disent encore rien.

Ce jour-là, ou peut-être une autre fois, elle doit décrire la tête du monsieur de la cage d'escalier. *Quelle était la forme de son visage ? Ovale, allongée ? Et l'implantation des cheveux ?* Sur l'écran du gros ordinateur gris défilent les pièces détachées d'un étrange catalogue, mentons, nez, yeux, fronts, joues, bouches, oreilles, sourcils, pour aboutir après un long effort conjoint à un visage, un drôle de visage, un visage de cadavre, sans lien, sans rien. Un visage que là encore, elle ne reconnaît pas.

Elle reçoit une éducation catholique dont elle retient le Diable et ses tentations, les péchés, l'œil omniscient de Dieu fixé sur elle, l'Enfer. Elle entend la haine du corps et le rejet des sens dans les prêches sur la primauté de l'esprit. Ça la rassure. Elle méprise son corps et le vit comme un véhicule imposé, un cloaque. Elle espère avoir une âme pure et vierge, unie à Dieu, démembrée de ce corps habité par Satan.

Elle se masturbe souvent, au sens latin, *manus stupratio,* elle se souille avec sa main. Elle ne sait pas quand cela a commencé ni d'où lui viennent ces gestes, toujours les mêmes. Elle ne sait pas les nommer. Il suffit qu'elle soit seule pour que le Diable vienne et descende sa culotte. Alors, elle frappe mécaniquement compulsivement sa vulve avec sa main jusqu'à la rendre enflammée et douloureuse, jusqu'à tomber dans une torpeur hébétée, gélatineuse. Elle n'en parle à personne, elle sait que c'est mal, elle ne parvient pas à s'en empêcher. Elle a besoin du flottement qui suit. Dans les églises, elle évite les yeux creux des diablotins sculptés sur les chapiteaux des colonnes, ils la regardent, ils ricanent. Elle est des leurs. Elle punit son corps en le bourrant, en le cognant, elle essaye d'exister en dehors de lui et elle prie, *de profundis clamo ad te Domine*, elle prie avec toute l'ardeur de son jeune cœur que Dieu lui vienne en aide. *De profundis clamo ad te Domine. De profundis clamo ad te Domine. De profundis clamo, clamo, clamo ad te Domine. De profundis.*

Elle lit *Les Misérables* et ce n'est pas l'enfance de Cosette ou la mort de Gavroche qui la bouleverse le plus, non. Elle, elle sanglote de gratitude tout le long du chapitre où Hugo explique comment les égouts de Paris pourraient servir à fertiliser les campagnes.

Lors des longs trajets assise à l'arrière de la voiture familiale, elle garde le front collé à la vitre, le regard rivé au lointain, à s'abîmer à l'intérieur d'elle-même, quelque part au-dedans où ses pensées se délitent, s'aliènent, où ses rêveries n'ont ni queue ni trame et tandis que ses parents écoutent Radio Classique à l'avant, et que le frère et les sœurs se chamaillent au milieu, elle n'est plus là.

Les week-ends, elle s'enferme dans le silence de sa chambre à la maison de campagne, elle lit. Elle lit de tout, beaucoup. Parfois, elle s'extirpe du livre en cours, elle a mal, mal à la gorge, mal aux mâchoires, tellement mal, elle enfouit sa tête sous les coussins, qu'elle le hurle, qu'elle le vomisse le grand cri, qu'elle le crache, que ça lui sorte enfin, elle écarquille sa bouche, elle s'épuise, mais rien ne sort, jamais, pas un souffle, aucun bruit, rien. Alors, la douleur, elle l'avale, et nauséeuse, elle reprend sa lecture. Page après page, elle se console, elle s'oublie, elle s'enfuit.

Elle essaye d'être gentille, de ne pas décevoir. Elle est de plus en plus triste, elle ne sait pas pourquoi. Elle sourit, elle ment, elle donne le change. Elle a honte. Surtout, que personne ne s'en rende compte, ne pas laisser deviner, ne rien laisser paraître.

Elle a treize ans, un garçon lui roule des pelles à une boum. Elle n'en revient pas d'avoir été choisie, elle s'applique à en avoir la langue courbaturée et les lèvres gercées, mais elle s'ennuie. Elle lui écrit des missives enflammées qui restent sans réponse, elle ne sent pas le décalage entre ses mots brûlants et ses mâchoires crispées.

Elle est très proche de la sœur qui a trois ans de plus qu'elle. Certains soirs, elle l'aide à faire le mur, elle attire l'attention des parents au moment critique où sa sœur se glisse du piano à la porte d'entrée. Elle se réveille quand sa sœur rentre, elle vient vite se blottir au bout du lit et l'écoute lui raconter la nuit, les combines pour entrer en boîte avant l'âge requis, les tenues des unes et des autres, les histoires de garçons, de couples qui se font, se défont, les atermoiements du cœur.

Elle suit des cours de théâtre et se prend peu à peu de passion pour la scène. Elle raconte à qui veut l'entendre que quand elle sera grande, elle sera comédienne. Sur scène, elle s'autorise mille visages, elle ne fait semblant de rien, elle se jette tout entière dans les bras d'une autre, elle s'incarne. Sur scène, elle goûte à une intensité et à une évidence qu'elle ne connaît nulle part ailleurs, et qui n'est pourtant peut-être que la chaleur de vivre.

Elle ne collectionne plus de mots, en cours de grec ancien, elle apprend à les décortiquer, à suivre leurs racines qui s'enchevêtrent à l'histoire des hommes.

Un jour, elle comprend, stupéfaite, *pédophile*. Quelqu'un qui a de l'amitié pour un enfant. Une phrase lui revient brutalement en mémoire, une phrase comme une gifle, une phrase à l'envers, une phrase du monsieur de l'escalier.

Je suis ton ami.

Elle voudrait briser son pupitre, brûler les dictionnaires, hurler comme les mots mentent, mais cette fois-ci comme tant d'autres, sitôt que le feu lui monte, elle l'éteint. Elle a trop peur de ces rages soudaines pour s'attarder à les comprendre, elle les étouffe sitôt qu'elles apparaissent, puis elle file en cuisine ou à la boulangerie pour les sceller sous la mie de pain.

Si elle découvre alors que certains mots signifient l'inverse de ce qu'ils prétendent, elle ne se demande pas encore pourquoi on choisit d'utiliser précisément ceux-là.

Pendant les vacances de Pâques, elle part en famille découvrir l'Allemagne de l'Est juste réunifiée. Ils passent une journée au camp de concentration de Ravensbrück et à mesure qu'elle lit les témoignages des survivantes s'écroule l'illusion rassurante que la méchanceté et la violence seraient spécifiquement masculines. À force de n'apprendre dans les livres d'histoire que les guerres des hommes, elle s'était naïvement protégée de la violence en leur en laissant l'exclusivité. À Ravensbrück, les récits de la cruauté et de la perversité des gardiennes la glacent. Ce n'est peut-être pas Satan qui lui susurre des idées sales, c'est peut-être elle, Satan.

Certains jours, assise en silence sur son lit, les jambes étendues, étrangères, elle détaille avec perplexité ce corps qu'elle a, elle le pince pour vérifier que c'est bien à elle qu'il fait mal. Elle ne le reconnaît pas.

Et souvent, alors qu'elle a l'esprit occupé ailleurs, elle le voit. Il gît au sol, démantelé, à quelques mètres d'elle. Ces images qui s'imposent ne lui font ni chaud ni froid, elle ne les questionne pas, elle ne les formule pas. Elle fait avec.

En cours de sport, son corps l'encombre, elle déteste le goût de sang dans l'arrière-gorge quand elle court, elle déteste ses joues marbrées de rouge, elle déteste avoir l'esprit trop inondé de sensations physiques pour pouvoir encore penser. Elle n'arrive presque jamais à réceptionner une passe, quand la balle fond sur elle, elle se fige. En danse, elle s'absente d'elle-même trop souvent pour parvenir à retenir une chorégraphie alors elle se glisse à l'arrière pour copier les mouvements sans que nul s'en aperçoive.

Lorsqu'elles vont au stade, je dis *elles*, c'est un collège privé catholique très majoritairement composé de filles, où les rares garçons ont le statut de demidieux, donc lorsqu'*elles* vont au stade, à l'orée du bois de Boulogne, souvent les mêmes deux ou trois exhibitionnistes viennent montrer leur verge aux jeunes filles rangées.

Ces jours-là, elle prie pour qu'il n'y ait pas course d'endurance, pour que la professeure ne commence pas le cours par quelques mots confus, *Bon, bon, bon, au bout de la piste, hein, vous ne regardez pas.* Car alors à chaque foulée qui la rapproche d'eux, à mesure qu'elle imagine leurs regards sur elle, qu'elle imagine puisqu'elle ne les voit pas, puisque son regard à elle est vissé sur le sol ocre, alors elle se sent sale, si sale, sa peau rouge grésille et la signale à tous, à eux, eux qui se pourlèchent les babines, vient le premier virage, elle n'a pas levé la tête, le diable si elle respire encore, elle passe devant eux, elle sent partout sur elle leurs regards torves leurs mains dures leurs sexes moites, ils n'ont pas bougé pourtant, ils sont toujours de l'autre côté de la grille, elle continue à courir, elle a l'impression d'être au ralenti, de devoir arracher ses semelles au sol, encore un virage, elle hait ses fesses de trembler autant, de leur donner à voir ce tremblement, et plus elle s'éloigne, mieux elle respire, encore un virage, un autre, et tout est à recommencer, passer et repasser devant eux. Bientôt elle ne sent plus rien, à se demander comment font ses jambes pour courir sans elle.

En classe de seconde, elle sort avec un vieux, un garçon de première. Ils sont seuls chez lui, il l'emmène dans la chambre de ses parents, ils s'allongent maladroitement sur le lit, ils s'embrassent, se collent, se respirent, ils ont peur, ils ont chaud, ils ont envie, il descend sa culotte, il touche sa vulve avec les doigts. À peine a-t-il glissé la culotte le long de ses jambes qu'elle se crispe, quelque chose se rompt, quelque chose d'immonde se répand dans son sexe, dans sa gorge, à peine a-t-il touché sa vulve qu'elle se sent soudain une haine telle qu'elle pourrait le frapper jusqu'à ce qu'il meure. L'instant d'après, elle n'est plus là. Il s'interrompt penaud devant ce corps inerte. Elle s'excuse, se rhabille et s'en va. Elle le quitte le lendemain par téléphone.

Dans sa classe, il y a une nouvelle, Sigrid, Doc Martens violettes et humour ravageur. Avec Marine, qui redouble, dont tout le monde sait que le père a tué la mère d'un coup de carabine quand elle était petite, dont tout le monde admire la repartie et l'insolence, elles forment un sacré trio. Elles appartiennent chacune à des groupes d'amies différents, mais elles s'échappent souvent pour passer quelques heures ensemble, toutes les trois, au café, à refaire le monde, à fumer des clopes, à aiguiser leurs esprits frondeurs et à rire, à rire de tout, elles qui se comprennent si bien, elles qui se sont aimées tout de suite.

Marine ne raconte rien de l'enfance rythmée par les parloirs des prisons ni du retour il y a quelques mois du père/assassin à la maison, Marine est un brasier de joie et d'intelligence.

Adélaïde ne raconte rien de l'homme de la cage d'escalier, elle n'y pense jamais, elle vit quelques mètres plus haut, sur le palier du dessus, elle est chaque jour plus gaie, plus intrépide, elle tourbillonne, elle rit, elle ne tient pas en place.

Sigrid confie que sa grande sœur a été violée puis assassinée par le tueur de l'Est parisien, cinq ans avant. Elle ne cherche pas à être consolée, elle n'attend pas de réponses, elle le dit une seule fois, par souci d'honnêteté.

Marine la pétillante meurt deux jours après la fin des classes, d'anorexie, d'alcool, de somnifères et de tristesse sans recours.

Sigrid change de lycée, elles se perdront de vue.

Des années plus tard, le Fichier national automatisé des empreintes génétiques, que le père de Sigrid aura contribué à mettre en place, va bouleverser ma vie.

Je repenserai à notre improbable trio, à nos désirs d'amazones, à nos rêves ébouriffés, à nos joies carnassières et pures.

À la toute fin des vacances d'été, elle conduit une mobylette, sa meilleure copine enlacée derrière elle, quand au détour d'une route de campagne surgit la camionnette d'un livreur de fleurs. Fracture du crâne, du poignet, traumatisme crânien, cinq dents de devant en moins, corps inerte. Son amie indemne et bouleversée.

Elle est placée en soins intensifs. Dans cette salle fragmentée par des rideaux tirés, on entend ses voisins sans les voir et les heures sont rythmées par le métronome rassurant des cœurs hospitalisés ensemble. Un jour, à quelques mètres d'elle, un cœur s'emballe, les pas s'affolent, le cœur s'éteint, le lit s'en va. Et une nuit, c'est elle qui est partie.

Aucun mot ne peut contenir cet entre-deux-mondes que l'on nomme à défaut *Expérience aux frontières de la mort*, j'ai tenté parfois de le raconter, mais comment dire l'intemporel, l'infini, l'inaliénable, la tendresse, comment articuler une phrase, comment saisir sans amoindrir, sans enfermer, sans domestiquer. Alors oui, il s'agit du moment le plus heureux de toute mon existence et savoir que j'y repartirai me console des jours amers.

Ce qui m'a retenue à la vie, cette nuit-là, c'est que j'ai senti, avec une acuité telle qu'elle déborde les sens, j'ai senti dans ma bouche, dans ma gorge, le feu d'artifice d'une pomme croquée à pleines dents, j'ai senti dans mes narines, le long de ma trachée, l'odeur des aiguilles de pin roulées au bout des doigts, j'ai senti dans mes paumes la chaleur vibrante et moite d'une poignée de terre grasse.

Et j'ai sombré ensuite dans un sommeil épais.

Au réveil, sans qu'on puisse l'expliquer, son corps a retrouvé toute sa motricité. Au réveil, elle a peur. Se prendre pour Dieu, c'est bon pour les folles. Elle se barricade. Ce qu'elle a entrevu cette nuit-là, ça ne se peut pas, alors quoi ? Alors, elle est folle. Elle met la lumière aimante et la douceur et l'immensité sous scellés. Au réveil, elle n'en parle à personne.

Son état se stabilise, elle passe des soins intensifs à une chambre au service de neurologie. Elle aimerait bien voir sa tête, mais sa mère prétend avoir oublié son poudrier et les infirmières lui opposent que tous les miroirs de l'étage sont vissés aux murs.

Une nuit, elle parvient à se glisser hors du lit, elle tient les perfusions à bout de bras chancelants, elle déclenche la lumière de la salle de bains. Quelqu'un la regarde dans le miroir. Quelqu'un au drôle de visage bleu et gonflé, à la bouche sanglante, à la bouche trouée.

Elle quitte son sourire pour un dentier, ce qui l'oblige, à quinze ans et demi, à cesser de sucer son pouce. Sa mère avait tout tenté pour lui faire arrêter ce geste de *gros bébé* : les vernis amers, les bandelettes et même un cochon d'Inde, cadeau conditionné à un sevrage total, mais le cochon d'Inde ayant vite fini ses jours dans l'estomac d'un chat de campagne, elle s'était remise à se téter le doigt, honteuse et soulagée de ce réconfort à portée de main, et désormais, exclu.

De retour au lycée, elle troque ses jeans moulants et ses premiers talons contre des pulls bien mous, des pantalons larges et de grandes chemises de bûcheron qu'elle tire sans arrêt sur ses fesses. Elle retient ses cheveux blond vénitien dans un chignon serré.

Chaque fois qu'elle passe devant une vitrine, un miroir, elle s'insulte. Quand sa mère et ses sœurs l'emmènent faire les magasins, elle fond en larmes dans les cabines d'essayage. Elle aimerait leur ressembler, mais dès qu'elle essaye un pantalon, il ne ferme pas, il est trop serré aux fesses, ou s'il ferme, la taille est béante, une ceinture n'y suffirait pas. Elle ne rentre dans rien.

En classe, elle n'arrive pas à se concentrer, elle s'accroche aux regards des professeurs, à ses notes sur la feuille quadrillée, à son stylo, elle griffonne des visages grimaçants dans les marges, elle comble les silences, les espaces vides, elle s'agrippe aux tables, elle résiste, mais chaque fois la vague noire et muette s'abat sur elle sans prévenir et elle glisse, suspendue, entre deux eaux, absente.

Un soir, des amis de ses parents réagissent en riant à je ne sais quelle histoire, *Ah, Adélaïde, l'extra-terrestre de la famille !* Nul ne soupçonne comme cette phrase l'atteint, elle qui vit séparée d'eux tous, elle qui aimerait tant en être.

Elle passe l'année à pleurer dans les toilettes du lycée, à engloutir puis à vomir, à se haïr férocement et, en public, à exhiber un sourire de dentier, à réussir à l'école, à jouer la fille courageuse. C'est l'année où elle commence à se gifler, à se cogner la tête avec les poings, contre les murs, à échafauder des scénarios de suicides parfaits, de suicides travestis en accidents, de suicides insoupçonnables. Elle ne raconte rien à personne de ses idées, de ses méduses, elle tente de les cantonner strictement à un monde inintelligible et brut, elle se persuade de deux lieux distincts, le corps vil et traître, l'esprit pur, vif, joyeux.

À l'issue de cette année de Première, le lycée donne le choix entre une retraite en silence à l'abbaye du Bec-Hellouin et une visite des châteaux de la Loire. Trois jours et deux nuits. Elle sait obscurément qu'elle ne pourra pas se contenir si longtemps devant ses amies, alors elle seule choisit le silence de l'abbaye.

Une nuit d'infinie désespérance, à psalmodier *De profundis clamo ad te Domine* dans une petite chapelle vide, quelqu'un s'assoit à côté d'elle et passe tendrement le bras autour de ses épaules. L'énorme yéti blanc, Jésus, qu'importe. Quelqu'un. Sa tristesse cède comme un lac de barrage un jour de crue.

Jusqu'aux prochaines averses.

À la maison de campagne d'une amie, elles se retrouvent souvent à trois. Un soir, la plus âgée apprend aux deux autres à se caresser le sexe. Elle leur explique où est le clitoris, qu'il faut y aller très doucement, en faisant de petits cercles, ne pas hésiter à mettre un peu de salive, ralentir, accélérer, jouer avec. *Je vais vous montrer*, elle se glisse sous une couverture et l'on devine le va-et-vient tendre de sa main sous les plis, ses doigts reviennent se mouiller à sa bouche, son visage rosit, elle a le souffle court, les paupières closes, ses gestes attentifs s'accélèrent, elle gémit, se contracte, ses traits se crispent, elle se cabre. Silence. Son visage est immense et détendu. Elle ouvre de grands yeux brillants et regarde ses copines abasourdies en souriant, décoiffée, assez fière de son effet.

Stupéfaction. Les autres filles font cela, ce n'est ni diabolique ni honteux, c'est normal ? Et quelle douceur !

Elle s'essaye, seule, à retrouver cette candeur, cette confiance. Elle n'y parvient pas. Les caresses ne lui font rien à elle, ce n'est pas assez fort, elle, elle préfère les coups. *C'est nul son truc, ça ne marche pas avec moi.* Marcher, pour elle, n'a rien de commun avec le plaisir, marcher, c'est se faire suffisamment violence pour s'absenter de son corps flasque, aller là où elle ne sent rien, suspendue, où elle n'a plus à exister. Puis se dégoûter, se mépriser, se haïr.

Elle ne comprend pas qu'il s'agit de deux états inconciliables, de deux extrêmes opposés pourtant confondus dans un même mot, la *masturbation*. Pour ses amies, corps vibrant, plaisir et excitation ; pour elle, corps absent, mépris et inflammation.

Dans ma famille, les choses du corps ne sont pas un sujet ou, si l'on en parle, c'est pour en rire. Mon père a récemment failli être emporté par une septicémie, à la soigner d'un ton badin par son remède habituel : quatre grosses couvertures, une aspirine et au lit. Dans ma famille, se plaindre de ses petits maux, c'est manquer de dignité. Alors, parler de sexe ? Parler de ça ? De ce qu'elle se faisait quand elle était sûre que personne ne pouvait entrer, ne pouvait la voir, dans le silence de sa chambre, cachée dans les sous-bois, juchée sur un arbre, enfermée dans une salle de bains ? Des scénarios terrifiants et de plus en plus dégradants qu'elle inventait alors ?

Au lycée, elle a obtenu du professeur de théâtre qu'il monte *Ondine* de Giraudoux avec elle dans le rôle-titre.

Dès qu'elle peut, elle arpente seule l'île aux Cygnes, sous le pont Bir Hakeim. Elle y est Ondine, femme-poisson, un monstre peut-être, mais un monstre enchanteur, fantastique, et voici son royaume, ce sillon de terre sur le grand fleuve. Elle murmure de longues tirades aux saules pleureurs, elle peuple les remous de tritons, elle a les cheveux aussi longs que le buste, et la folie de cette tentative désespérée de se fondre en une autre se révèle cruellement au soir de la première, quand elle se fige au milieu d'une phrase, à l'acte I. On lui souffle son texte, elle ne répond pas, on hésite, on éteint les projecteurs, on la croit partie en coulisse, on rallume, elle n'a pas bougé, on commence l'acte II assez embarrassés, et soudain, le fracas d'un corps à terre qui se convulse. Elle reprend connaissance, hébétée, à l'hôpital. Son beau costume de sirène brille pour rien sur un lit dur. On lui explique qu'elle a eu une crise d'épilepsie, que c'est une complication fréquente après un traumatisme crânien de l'ampleur du sien l'an passé. Elle ne le dit pas, mais elle sait bien, elle, ce que c'est que le haut mal. Elle pense qu'elle a désobéi, qu'elle en a trop voulu, de la vie, qu'elle a été punie.

Elle a dix-sept ans, elle sort avec un garçon plus âgé. Il a envie de faire l'amour, ça la rassure qu'il sache faire ça, l'amour, qu'il l'ait déjà fait avec d'autres.

Il a mis des draps propres, allumé une bougie. Elle se déshabille et s'assoit sur le bord du lit. Toute nue, elle a froid. Il l'allonge, il l'embrasse, il lui demande : *Ça va, je ne te fais pas mal ?* Elle sursaute, elle s'était absentée. *Euh non non, ça va, ça ne fait pas mal.* En vérité, elle ne sent rien, rien du tout, elle s'ennuie et elle ne sait pas à quoi occuper ses deux mains.

Ils font l'amour régulièrement et, chaque fois, elle est ailleurs. Elle se dit que le sexe, c'est pour rendre service aux garçons, ça doit être normal pour une fille de ne rien sentir. Il est perplexe devant son corps mutique, il la questionne, il cherche à savoir ce qu'elle aime. Elle ne sait pas quoi lui répondre, elle ne veut pas le décevoir, elle lui dit que c'est super, qu'elle adore ça, et même, *C'était cool quand on l'a fait par terre.*

Elle demande des conseils à une copine, les petits bruits, les expressions, les gestes à avoir, elle applique consciencieusement ses leçons, elle mime le plaisir, les gémissements. Elle passe le temps. Elle évite de regarder et de toucher son sexe à lui. C'est dégoûtant. Tout ça, ça ne l'intéresse pas. Les sens, la chair, c'est bas, c'est primaire. Elle, ce qu'elle aime, c'est la littérature et la philosophie, elle lit tout ce qui lui passe par les mains, elle a eu mention Bien au baccalauréat et dans deux mois, elle entre en hypokhâgne.

Ils se séparent après l'été, il prendra régulièrement de ses nouvelles et un ou deux ans après, *Tu n'aimes toujours pas ça ?* Elle lui répondra sèchement que non, qu'elle est au-dessus de ça, qu'il est vraiment obsédé. Il aura un regard triste et tendre qu'elle ne s'expliquera pas, et auquel elle repensera, des années après.

En hypokhâgne, elle mesure sa vanité et son ignorance à l'aune des gigantesques rayonnages de la bibliothèque, dont tous les ouvrages sont au programme,
et à ses notes de latin débutant, moins quarante-cinq
sur vingt. Elle rencontre quatre filles formidables qui
viennent rejoindre dans son cœur les cinq amies fidèles
depuis le collège.

Sa mère l'emmène voir une nouvelle nutrionniste,
elle est trop ronde, les légumes vapeur, les carottes
râpées au jus de citron et les yaourts à zéro pour cent ne
semblent rien y faire. De nouveau, elle tait ses frénésies
alimentaires, elle n'en prend pas la mesure, elle refuse
de leur donner trop d'existence en les formulant, elle
ment aux autres comme à elle-même.

Cette année-là, elle arrête de se faire vomir. Lorsqu'elle enfonce ses doigts profondément dans sa gorge,
les angoisses qu'elle réveille sont pires que celles qu'elle
cherche à calmer.

Elle commence un carnet à couverture bleu ciel, un défouloir à pensées morbides, un recueil d'invectives autocentrées. Elle écrit pour domestiquer les méduses, elle écrit pour éviter de se gifler.

Elle consacre les vacances de Pâques à se faire greffer un peu d'os du crâne sur la mâchoire supérieure, cette mâchoire qui s'est nécrosée de façon stupéfiante depuis l'accident.

Son visage gonfle, c'est à peine si l'on voit encore ses yeux et ses narines. Elle a la tête d'un hippopotame qu'un fauviste aurait agrémentée d'aplats violacés et jaunes. Elle adore regarder l'hippopotame dans la glace, sa difformité a quelque chose d'extrêmement rassurant et sincère, avec ce visage, elle pourrait enfin être elle-même. Mais la greffe ne prend pas et ses traits classiques de jeune fille bourgeoise remontent à la surface.

Année studieuse jusqu'à la greffe osseuse, après laquelle elle prend la décision ferme de devenir comédienne. Depuis *Ondine*, elle n'a pas mis les pieds sur scène et les pieds lui démangent. Ce feu qui l'habite et l'éclaire lorsqu'elle joue la dévore au-dehors, et sans les planches pour le contenir, il la consume.

Elle part tout l'été travailler comme monitrice dans un camp de filles au Canada. Voilà plusieurs années qu'elle a la chance de passer un mois entier au cœur du parc Algonquin, à l'explorer de lac en lac, à dorer des guimauves au feu de bois, et dans les crépitements des aiguilles de pin et les ululements des plongeons huards, dans les éclats de rire et les chants, dans toutes ces nuits à contempler entre amies la Voie lactée, elle fait l'expérience de la sororité et de la confiance. Là-bas, les méduses se tiennent tranquilles, elle est formidablement heureuse, aimante et compétente. Là-bas, nul n'est besoin de masques, chacune œuvre à donner le meilleur d'elle-même. Là-bas, les amitiés qu'elle noue sont nouées à jamais, là-bas, elle est *Addy*, un double intense et lumineux, une fille bien. Elle dévore les journées avec l'appétit de vie d'un détenu en permission, et chaque fin d'été, elle sanglote à s'en briser les mâchoires dans le vol du retour.

Cette fois-ci, elle prend neuf kilos en deux mois. Ses parents ne la reconnaîtront pas à l'aéroport, leurs regards glisseront sur cette Américaine grasse en sweat à capuche, elle devra agiter les deux bras et les appeler pour qu'ils la distinguent enfin dans la foule.

À la rentrée scolaire, elle s'inscrit à la Sorbonne plutôt que de passer en khâgne et, deux jours par semaine, dans un conservatoire, elle se prépare aux concours des grandes écoles d'art dramatique. Elle n'a plus qu'un mot en bouche, *Théâtre*. Les autres apprentis comédiens semblent tout savoir de ce monde pour elle inconnu, les grands metteurs en scène, les auteurs de théâtre contemporain que tous ont lu sauf elle, les spectacles qu'il n'aurait pas fallu manquer, alors elle rattrape son retard et voit des pièces presque tous les soirs. Elle noue des amitiés exaltées avec quelques jeunes gens ardents, issus de milieux moins favorisés, montés à Paris pour accomplir ce rêve, faire du Théâtre.

Elle est soulagée d'avoir trouvé sa voie, parce que, en secret, elle a plusieurs fois cru qu'elle était appelée à entrer dans les ordres. Et peut-être qu'entre le couvent et la scène, qu'entre la sainte et l'excommuniée, vibre en elle le même désir de se dévouer, de se désavouer, de se trouver un sens au-dehors d'elle.

Lorsque aujourd'hui j'entends à la radio parler de prêtres violeurs d'enfants, je pense à cette jeune fille affolée, à cette jeune fille qui se haïssait tant que l'amour inconditionnel de Dieu pour elle la submergeait de gratitude, à ses larmes dans les églises, à ses prières désespérées, à ces mots mille et milliers de fois répétés, *De profundis clamo ad te Domine.* Elle aurait voulu parfois Lui vouer son existence, devenir jour après jour une eau limpide et confiner son sale corps en cellule – lui et ces méduses qui vont et viennent en elle et qu'elle ne sait nommer autrement que *démons.*

La prêtrise, l'abstinence, les religions ne fabriquent pas en série des violeurs d'enfants, non, je ne crois pas. Mais dans la foule innombrable des enfants violés, combien devenus grands ont pris la prêtrise, l'abstinence et les religions pour garde-fou ? Dieu n'est pas formé aux conséquences psychotraumatiques des violences sexuelles, Dieu ne peut empêcher les pensées éructantes et sales, je le sais bien, je l'ai tant prié. Alors je crois que parmi eux, parmi ceux réfugiés sous l'habit pour se sentir moins vils, certains renoncent à se battre, certains se consacrent à la haine, à la toute-puissance et alors, oui, ils profitent de leur profession à auréole intégrée et du silence organisé de leurs hiérarchies pour violer et détruire à leur tour en toute impunité.

Elle sort quelques mois avec un jeune pharmacien. Il est très amoureux, très tendre, il passe leurs nuits en cunnilingus interminables à tenter de la faire frémir. Elle ne comprend pas à quoi il s'épuise, quelle perte de temps, quel ennui, le sexe. Elle a dix-neuf ans.

À lui, elle raconte pour la première fois ce qu'elle a vécu, une nuit, après l'accident, cet entre-deux-mondes qu'elle ne s'explique pas. Quelques jours plus tard, flânant à la recherche de réponses diverses dans les rayons sciences humaines de la Fnac, elle tombe sur un livre consacré aux *Expériences aux frontières de la mort*. Quoi ? D'autres l'ont vécu, d'autres le racontent ? Ouf. Elle n'est pas complètement folle.

Elle se met à lire toutes sortes d'ouvrages sur la vie après la mort, la réincarnation, les vies antérieures, les anges, les prophéties, le chamanisme, les états de conscience modifiés.

Elle apprend à rouler des joints et à tenir l'alcool, elle adore cette fille marrante et délurée qui prend sa place quand elle a bu.

Un soir, elle voit une pièce de théâtre qui parle de *l'amour* d'une femme mûre pour un très jeune garçon et des états d'âme d'une juge troublée d'avoir à la condamner. La salle est petite et poussiéreuse, on est assis sur des bancs, à quelques pas de la comédienne, et plus le spectacle avance, plus elle étouffe. Elle voudrait tout arrêter, crier, chanter à tue-tête, renverser les bancs, mais elle ne parvient même pas à se lever pour sortir.

En rentrant, elle jette par écrit sur son carnet bleu ciel la journée de mai de ses neuf ans, qu'elle appelle *le mauvais souvenir, l'événement, le ( )*. Elle note, *Je suis brutalement catapultée dans ce corps de fillette, si dissemblable pourtant à celui d'aujourd'hui. Tout est tellement précis, comme une succession de photographies, je me souviens très précisément, mais de façon un peu extérieure, étrangère.*

Elle ne sait pas que certaines photos manquent à son récit et qu'il lui faudra encore des années pour les retrouver intactes.

Peu après ce soir-là, elle n'arrive plus à jouer. Elle qui se glissait auparavant d'une peau à l'autre en toute simplicité se regarde soudain faire l'actrice, elle se trouve mauvaise, alors elle en rajoute, elle fabrique, elle parle trop haut ou trop bas, elle se surveille, elle s'isole.

Les méduses pullulent désormais, elles naviguent au gré des interstices et des pensées, et sous leurs grandes ombrelles rouges, des milliers de harpons chargés d'une petite phrase venimeuse : *Je suis nulle, je suis grosse, je suis incapable, je suis mauvaise.*

Parfois, sans prévenir, alors qu'elle vaquait ailleurs, qu'elle n'avait pas vu le banc se former en rangs serrés autour d'elle, elle se sent soudain aspirée vers le fond.

Ses goinfreries sont de plus en plus violentes, de plus en plus rapprochées, une, deux, trois fois par jour. Sur son carnet bleu ciel, elle se nomme *l'outre à graisse, la baudruche à suif, la morfale*. Elle pense son corps plein de pus. Elle imagine qu'elle découpe le gras qui dépasse aux ciseaux, qu'elle y enfonce des lames, que ça gicle. Elle imagine, elle ne le fait pas, si elle a des cicatrices, des pansements, elle sera découverte.

Comme son prof d'art dramatique pense qu'elle n'a pas trouvé sa voix, elle cherche un cours de chant. On lui conseille une chanteuse lyrique versée dans l'ésotérisme, qui enseigne la résonance osseuse et le yoga de la voix.

Elle ne peut bientôt plus se passer de ces séances, où rien ne sort d'elle que feulements rauques, hurlements étouffés, sanglots, et dont elle s'extrait déchargée et sereine. Elle est convaincue d'être sur un chemin spirituel et que toutes les souffrances qu'elle traverse sont des épreuves initiatiques, des paliers avant l'accès à la pleine conscience. Si ses angoisses sont l'écume laissée par ses vies antérieures, alors elle n'est pas folle, se rassure-t-elle.

Elle fume de plus en plus souvent du cannabis. Elle se prépare le soir des *mini-spliffs* qu'elle range ensuite dans une boîte en métal et qu'elle commence à fumer au petit matin, dès qu'elle arrive à la fac, avant le premier cours. Ça lui permet de s'oublier, de se laisser flotter et les copains s'étonnent moins de ses moments d'absence.

Elle s'entoure d'objets et de rituels réconfortants. Elle s'achète des chaussures qui ont l'air gentilles, rondes et souriantes, elle leur tisse des histoires qui la rassurent, comme à ses *bottes d'égoutier de l'hyperespace*, des godillots mi-mollets en cuir vert qu'elle chaussera presque tous les jours, quoi qu'en pensent ses copines incrédules. Elle utilise année après année les mêmes agendas papier bible et cuir noir, elle accumule les mêmes petits carnets brochés au papier quadrillé : couverture bleu marine pour les notes de travail ; bleu ciel pour le journal intime ; rouge pour l'écriture. Sur le carnet rouge, elle n'écrit presque pas.

En cours de conversation, elle enjolive sa vie, elle rajoute un peu de drame et de suspens, elle improvise à son profit de jolis arrangements avec la réalité, elle appuie ses dires d'anecdotes piquantes et fausses. Souvent, c'est romanesque, c'est aussi détaillé qu'inutile, et ses amies lui pardonnent en souriant ce qu'elles nomment *le monde enchanté d'Adélaïde*. Si on l'écoute, elle existe, alors comme sans cesse tout lui glisse, elle s'invente.

Sa chambre sous les toits a une petite terrasse de fortune. Elle pose une chaise contre le radiateur et s'en sert comme d'un marchepied, enjambe la fenêtre ; la voici sur une corniche qui remonte doucement et se clôt d'une grosse moustache de pierre recouverte de zinc.

Elle y prend des bains de soleil, y fume clopes et pétards, elle y écrit. Les jours blancs, les jours où les méduses empoisonnent l'horizon, elle s'assoit au sommet de la moustache, à la manière précise et raide d'un automate ancien. Il y a là un plateau d'une vingtaine de centimètres carrés, ses fesses débordent de part et d'autre et, sous ses pieds, le vide. Suspendue au septième étage, effrayante et calme, elle se balance doucement. Il suffirait de se laisser glisser sur le côté, ou de basculer en avant, pour en finir.

Elle a vingt ans et souvent, lorsqu'elle doit traverser une rue, elle est hypnotisée par le ballet des voitures, par ce corps qu'elle a et qui valse de carrosserie en carrosserie, puis se démembre sous les pneus noirs. Ces images d'elle en pièces l'accompagnent depuis trop longtemps pour lui faire peur, non, ce qui l'épouvante, c'est d'échapper à sa propre vigilance et qu'une méduse l'entraîne pour de vrai, pour toujours, sous les roues, sur les rails, par les fenêtres. Alors elle s'insulte, elle se gifle, elle se mord les poignets. Elle attend près d'un mur que quelqu'un arrive pour caler ses pas sur les siens et parvenir saine et sauve de l'autre côté des rues. Dans le métro, elle se colle aux murs du quai. Elle ne s'approche plus des fenêtres dans les étages élevés.

Quand elle est avec des amis, elle est joyeuse, elle sourit, elle s'enthousiasme, elle rit à gorge déployée, *S'ils savaient, ils prendraient tous leurs jambes à leur cou.* Elle a du mal avec les compliments, elle reste sur ses gardes, se demande où l'autre veut en venir, ce qu'il cherche à obtenir d'elle. S'il a l'air sincère, elle le méprise. *Il est aveugle ou quoi ?*

Elle passe le concours de l'École supérieure d'art dramatique de la Ville de Paris, l'ESAD. Elle y entre grâce à une scène où elle n'était que réplique, tout entière au service d'une amie, dans la pure joie de jouer. Elle renonce à ses cours de maîtrise à la fac et laisse en plan son mémoire sur *La question du monstre dans le mythe d'Ondine.*

Le lendemain de l'attentat contre les tours du World Trade Center, elle se réfugie dans l'église Saint-Eustache, elle a trop vu d'images, trop d'horreurs, elle voudrait suspendre quelques instants dans l'azur ces êtres qui chutent sans répit sous ses paupières, alors elle allume un cierge, elle s'agenouille, elle pleure et prie longuement, avec ferveur, mais quelque chose la trouble et la force à refaire surface, quelque chose, non, quelqu'un, quelqu'un qui l'observe. Un homme, la trentaine, est debout au milieu de la nef, braguette ouverte, pénis à l'air. Il la scrute, il sourit, il se branle.

Le lendemain, elle retourne courageusement dans l'église, elle veut prévenir le sacristain. Il n'a rien vu, mais ne paraît pas très étonné, il soupire, *Si vous saviez tous les détraqués qui viennent dans les églises.*

Peu après, pendant un exercice de chant, alors qu'elle a le buste renversé en arrière, elle se met soudain à mugir, un long son rauque qui n'en finit pas et la brise de sanglots, elle ne crie pas elle vomit de la rage elle expectore de la douleur elle finit pantelante et stupéfaite à quatre pattes sur le tapis persan. La prof est dépassée. Au cours suivant, elle lui suggère fermement d'aller se faire aider et lui donne le numéro d'un psychothérapeute.

Elle n'appelle pas. Elle n'y arrive pas.

À l'ESAD, elle est passionnée par ce qu'elle apprend, elle tisse de nouvelles amitiés et un beau garçon, élève de la promotion du dessus, l'embrasse un soir en murmurant qu'il en avait envie depuis longtemps. Elle a le cœur chaviré par sa tendresse, sa sensibilité. Il est amoureux et ses mains peu à peu l'apprivoisent, la rassurent. Il lui lit *L'Art d'aimer*, il l'imagine vêtue de robes légères en cotonnade blanche à courir dans les blés mûrs, elle n'est pas toujours sûre d'être celle qu'il voit, mais peu importe, il est tellement beau, tellement doux.

Un soir où elle a fumé suffisamment d'herbe pour pouvoir lui ouvrir ses cuisses et qu'il y glisse sa langue, elle se laisse porter pour la première fois le long des ondes douces et puissantes, elle se cabre sans calcul, elle a le souffle court et les joues roses, le cerveau désemparé, le corps frémissant, gémissant, irradié, les mains vivantes et occupées, et elle a si impérieusement alors envie de lui. Les mots désir et orgasme ne lui seront plus des mots creux, mais ils resteront des mots rares.

Mieux va sa vie, moins elle a pied. Les bancs de méduses surgissent sans lui laisser le temps de se soustraire aux regards, elle s'effondre en cours, dans la rue, dans les bras de son amoureux. Ses joies sont cernées de solitudes bleuâtres. Elle cesse de se raconter que c'est l'effet de ses chakras émotionnels qui s'ouvrent, que ça va passer, qu'elle gère. Elle change sans arrêt de personnalité, elle a peur d'être cyclothymique, schizophrène, maniaco-dépressive, délirante. Elle a peur de ne rien oser dire à un psychothérapeute. Elle a peur d'être internée si elle lui dit tout. Elle a peur aussi de ne rien avoir du tout, de se mentir et de maintenir sa propre tête sous l'eau pour échapper à sa médiocrité crasse, à son conformisme.

Elle voudrait en parler à ses parents, elle n'y parvient pas. Elle joue la fille formidable et le sourire éclatant à la perfection, alors ils assimilent les visages chiffonnés de ses matins blêmes aux états d'âme impérieux d'une artiste en devenir. Elle souffre de son isolement forcé et de son manque de sincérité en famille, mais elle ne sait pas franchir l'océan des larmes contenues. Elle est épuisée de se porter, d'endosser chaque matin ce corps qui pend sur son lit comme sur un cintre, de se hisser seule au bout de chaque journée et de s'endormir chaque soir avec l'angoisse du temps qui passe, vite, et qui ne l'attendra pas.

Elle appelle le psychothérapeute le lendemain de ses vingt et un ans. Il n'a plus de place pour de nouveaux patients, mais elle se confond tellement en excuses qu'il lui propose de la recevoir tout de même, pour une séance.

Pour arriver à son cabinet, un code, une lourde porte en métal, une longue voie pavée, et soudain, une arrière-cour luxuriante, sereine, habitée par un gros chartreux qui vient vous miauler dans les mollets. Le cabinet est de plain-pied, on entre sans préavis, sans ronds de jambe. C'est une petite pièce aux parois couvertes de boîtes à œufs, ajouts méticuleux d'une violoncelliste en quête d'acoustique. Un clic-clac, quelques coussins, une boîte de mouchoirs, une poubelle en osier. Et une chaise, en face, où se tient un homme bienveillant, qui la regarde.

À peine assise, elle se met à pleurer, à pleurer une heure pleine sans rien parvenir à articuler. Le lendemain, elle lui envoie la carte postale d'une statue égyptienne au visage ravagé de coups de burin. Au dos, elle a simplement écrit, *Merci*.

Il l'adresse à une jeune thérapeute au ventre bombé, nimbée de la radieuse certitude qui vient parfois aux femmes enceintes. Les séances ont lieu dans une longue pièce qui donne sur la rue, un rectangle de moquette beige encadré de matelas bon marché et de coussins aux couleurs délavées, faiblement éclairée par une rangée de vitres en verre cathédrale. La porte s'ouvre tout de suite sur un trottoir perpétuellement sale.

Cette femme travaille le *transgénérationnel*, les héritages inconscients des deuils et traumatismes non résolus par nos chers ancêtres, alors, pour la séance suivante, elle doit faire de mémoire un arbre généalogique où elle ajouterait les événements familiaux qui lui paraissent les plus marquants.

Elle le fait consciencieusement et n'y voit rien de très intéressant, jusqu'à ce que la psychothérapeute souligne treize fois au marqueur rouge les mots *chute, renversée, défenestration*. Elle n'a retenu des vies de chacun que les accidents, les maladies, les suicides. De sa courte vie à elle, neuf chutes. Et *attouchements sexuels*.

Elle balaye assez vite cet épisode. *J'ai eu de la chance, ce n'était que des attouchements et mes parents ont bien réagi, ils se sont rendu compte que ça n'allait pas, ils m'ont questionnée, ils ont appelé la police. Je ne crois pas que ce soit ça, mon problème, ça, je n'y pense jamais. Ce que je sens là maintenant quand j'y pense ? Ben… Je ne sens rien de spécial. Ça ne me fait ni chaud ni froid. D'ailleurs, ce jour-là, je ne pleurais déjà plus dans la voiture de police,*

je me souviens avoir souri quand ils ont mis les gyrophares.
La psychothérapeute, *Vous avez mis en place très tôt un schéma de résistance aux épreuves, il vous faudra travailler dessus un jour.*

Auprès de ses amies, elle rayonne et si elle se confie parfois, elle ne livre rien que quelques mots légers, elle ne s'attarde pas, non, elle court, elle s'éparpille, elle emprunte chaque jour mille directions. Plus elle est sombre et désespérée au tréfonds d'elle-même, plus elle est radieuse au-dehors. Un feu follet.

Depuis quelques mois, elle a une drôle de toux, un bouchon dans la gorge que ses exercices vocaux quotidiens ne parviennent pas à faire sauter. Avec sa famille, son amoureux, elle a une voix de petite fille aux aigus irritants et faux, et sur scène, sa voix s'épaissit, se charge, s'assourdit. Ça l'énerve, elle sent bien qu'aucune des deux n'est la sienne, la sienne, elle ne sait pas où elle est.

Un soir, après avoir fumé un joint, elle dessine sur son carnet bleu marine deux postures que prend son corps. Elle a remarqué qu'elle était presque toujours ainsi, debout, assise, chez elle, à l'école, dans les transports, elle analyse ensuite dans un long paragraphe comme ces positions obéissent certainement à un *rééquilibrage énergétique intuitif.*
Les deux silhouettes raides n'ont ni pieds ni tête. Dans l'une, les bras sont collés au buste, la main gauche,

poing serré, cache le sexe, la droite s'agrippe à elle. Dans l'autre, un bras pour enserrer le bas du ventre, un second pour écraser la poitrine. Corps contraint, corps honteux, corps haï.

À la fin de cette première année d'École supérieure d'art dramatique, un professeur lui assène qu'elle joue faux, trop extérieure, un autre qu'elle doit descendre plus dans son sexe. Dans ce carnet, elle s'interroge, désespérée par ces commentaires. *Comment fait-on pour descendre dans le sexe ???*

Elle inaugure l'été par une deuxième greffe osseuse du crâne à la mâchoire, qui réussit à prendre cette fois mais dont elle se réveille exsangue. Elle n'a goût à rien cet été-là et surtout pas à elle. Elle se gave pour s'oublier, pour s'engloutir dans les replis replets de ses propres bourrelets, pour devenir un amas gélatineux et inutile, une grosse méduse échouée sur un rocher. Elle jette le compagnon tendre et attentif, leur affreux amour la révulse.

Été passé à se haïr tellement, à penser si continuellement au suicide qu'elle se résout, arrivée un soir au bout de ses propres forces, à parler à ses parents inquiets. Elle met en mots un peu de sa solitude, de son inadéquation, de sa souffrance. Elle cache la haine, la violence, la psychothérapie. Ils l'écoutent, ils ne la jugent pas, ils la consolent et la prennent tendrement dans leurs bras. Voilà si longtemps qu'ils ne se l'autorisaient plus.

À la rentrée scolaire, la psychothérapeute est partie s'établir en lointaine banlieue. Elle lui écrit à plusieurs reprises pour lui *conseiller vivement* les groupes de thérapie (trois heures tous les jeudis soir) animés, dans la même longue pièce qui donne sur une rue sale, par le premier thérapeute à l'avoir reçue. Qu'*il ne faut surtout pas s'arrêter en chemin.* Qu'elle s'*inquiète de son silence.*

L'idée de devoir parler à des inconnus désespérés de ses histoires désespérantes n'étant pas particulièrement attrayante, elle ne répond ni à ses lettres ni à ses coups de fil.

Elle accumule les histoires de quelques soirs et ses copines lui diagnostiquent *un syndrome Batman/Joker* à un stade avancé. Chaque fois qu'elle rencontre un type, c'est l'homme de sa vie, le père de ses enfants à naître, la huitième merveille du monde et il suffit d'un rien, l'odeur d'une transpiration, un geste maladroit, une phrase trop tendre, pour que Batman tombe dans une trappe et que Joker surgisse. Elle passe brutalement de la fille émerveillée et sensuelle à la bûche glacée. Heureusement, elle ne couche pas avec tous les Batman qu'elle rencontre, beaucoup ne sauront jamais ce qui s'est joué entre eux et elle derrière les rideaux de ses paupières closes. À s'enticher ainsi de qui veut bien d'elle, elle risque gros, comme avec ce jeune peintre en bâtiment qui l'enfermera chez lui et à la violence duquel elle n'échappera qu'*in extremis*, sous une rafale d'insultes.

À l'école, le prof de chant lui dit qu'elle bloque sa voix en arrière, qu'elle ne la laisse pas vibrer, qu'elle ne livre rien d'elle-même. Il lui parle de brouillard que le son ne parvient pas à percer, alors, à chaque cours, elle cherche vaillamment ses cordes vocales, elle ne parvient pas à les ressentir, à les localiser. C'est à se taper la tête contre un mur, comme si tout l'avant de sa gorge s'était effacé.

Peu avant Noël, nouvelle intervention de chirurgie dentaire, nouveau passage à vide et à tabac. Elle se résout à se rendre en thérapie de groupe.

Sur son carnet bleu ciel : *Lendemain perplexe, il me semble que mes névroses sont d'un autre ordre qu'une explication simpliste sur la responsabilité des parents. Et puis est-ce si nécessaire de comprendre et d'expliquer ? Tout nous dépasse.*

La semaine d'après : *Magnifique séance hier soir. Trois heures de sanglots, soubresauts du corps, séisme intérieur. Ce matin, je me suis levée comme une plume !*

Et la suivante : *Voilà qu'à nouveau je me perds dans le tréfonds de l'être, je ne sais plus trop rien, comme endorphinée, je suis atrocement calme ces derniers temps. Qui susurre derrière ? Quelle défense ? Quel cimetière d'éléphants ? Quels monstres va-t-il falloir affronter ? Pour quelles princesses ?*

Au printemps, elle a vingt-deux ans et toujours la même rengaine de souffrance et de solitude. En cachette, elle se gifle à défaut de pouvoir se taillader la peau ; l'été, son corps est exposé, sa mère verrait les marques. En compagnie, elle fume des cigarettes pour occuper ses mains, du shit pour figer ses pensées, elle boit de l'alcool pour s'égayer. Elle découvre la MDMA, l'ecstasy, les champignons hallucinogènes et toutes ces filles incroyablement drôles et aimantes qu'elle devient quand elle n'est plus elle-même.

Elle passe les thérapies de groupe à pleurer, elle n'arrive pas à circonscrire ses larmes dans des mots. Quand le thérapeute lui propose de la recevoir aussi en séance individuelle, elle retrouve avec soulagement la jolie cour, le chat dans les jambes et le drôle de cabinet aux murs capitonnés de boîtes à œufs.

Avant l'été, une autre opération, le chirurgien ouvre sa mâchoire qui n'a pas un an pour y enfoncer trois implants. Elle regarde, dans les chromes de la lampe braquée, sa gueule béante et, au-dedans, les mains du chirurgien qui s'affairent. Elle se regarde sans se reconnaître, ce n'est pas sa bouche, ce trou.

Elle occupe l'été à nager, à se confondre dans la grande étendue bleue, à se laisser porter au gré des vagues, à écouter, sous l'eau, l'écho cristallin du monde, à sentir ses longs cheveux se déployer et danser autour d'elle.

Un soir, elle écrit dans son carnet bleu ciel, après s'être profondément entaillé le pied : *Mis les uns après les autres, le chapelet des accidents bêtes qui jalonnent ma courte vie pourrait m'avaler comme un boa. Toujours les mêmes symptômes qui se répètent, accidents, pensées obsessionnelles de mort, lassitude générale, critiques incessantes, plus d'identité distincte, cyclothymie, doutes et désamour. Et moi qui ne comprends toujours rien, sinon qu'ils ne cesseront pas tant que je n'aurai pas compris. Mais bordel, qu'y a-t-il à comprendre ? Je m'épuise à courir sur ce tapis qui s'enroule sur lui-même.*

Arrive l'automne, dans son carnet bleu marine, elle note ses *Résolutions de rentrée :*
— *lutter contre le cou en avant dans le jeu*
— *la voix de gorge*
— *le surjeu*
— *quitter la face de plâtre de l'ange Gabriel (pourquoi ai-je si peur de vivre ?)*

64

Avant Noël, une nouvelle opération. Ils vont *dégager les implants*, enfoncer encore le scalpel dans la chair tout juste cicatrisée du scalpel précédent, passer et repasser l'aiguille, tirer fort sur le fil. Elle grelotte toute la nuit qui précède, elle ne supporte plus cette bouche étrangère et pâteuse après l'anesthésie, et, au-dedans, les mains qui coupent, qui cognent, qui cousent.

Un mois s'écroule ensuite sans qu'elle parvienne à venir respirer en surface.

À l'ESAD, elle travaille, elle progresse, les profs la surveillent attentivement : *Où sont tes jambes, descends dans ton corps, Adélaïde ! Lâche la tour de contrôle !*

La professeure de danse initie les élèves à la Méthode Feldenkrais. Allongés au sol, on doit faire de petits mouvements, accueillir et explorer attentivement toutes les sensations physiques. Comment le bras gauche appelle la jambe droite, comment le genou a mille façons inconnues encore de se plier, comment les pieds savent faire hocher la tête.

Elle trouve cela très difficile, absolument nouveau. Son corps, ce vieux tas gluant de cellules mourantes, son corps à elle, un continent inconnu et sauvage ? Elle entame les premières négociations du processus de paix.

Lorsque les crampes lui viennent au ventre et le nœud à la gorge, elle respire, elle se concentre, elle temporise

— d'abord, s'isoler, n'importe où tant qu'on ne la voit pas, chambres, cuisines, toilettes, églises, porches, recoins – puis, recroquevillée sur elle-même, laisser s'insinuer les méduses et hurler, sans faire de bruit, les mains plaquées sur sa bouche béante, se balancer, chercher une image bien sale pour se figer, pour se calmer. Encore chancelante, se relever, se passer de l'eau sur le visage, tant pis si c'est de l'eau bénite, se masser les mâchoires, ouvrir grand les yeux, se pincer les joues, se recoiffer et c'est reparti.

Dans la rue, dans les bars, dans les fêtes, elle est la vigie toujours d'astreinte, elle sursaute, elle dévisage, elle repère, elle écoute. Tel type là-bas qui a le regard fuyant. Tel autre qui ne se retourne pas et qu'elle n'arrive pas à cerner de dos. Tous sont suspects. Ses amies se plaignent qu'elle ne les écoute que d'une oreille, qu'elle ne se souvient jamais de leurs histoires et c'est vrai, souvent elle n'en saisit que les derniers mots pour poser une nouvelle question dont elle n'écoutera pas la réponse, trop absorbée à surveiller.

À jeun, elle est incapable d'insouciance. Alcoolisée ou droguée, elle s'empresse de séduire celui qui l'aura mise mal à l'aise, elle vient jouer au bord du gouffre, elle est plus calme quand elle a peur.

Les méduses pullulent aux lendemains de défonce. Un dimanche, sur la corniche, elle s'avance, elle va pour tomber, un pas de plus et… un petit rien, un souffle de vent, elle frissonne, elle s'éloigne. Après ce dimanche-là, elle se méfie des drogues dures, elle s'oblige à n'en consommer qu'exceptionnellement et à condition de ne pas rester seule, le lendemain.

Elle fréquente un squat tenu par des copains, on y répète, on y joue, on y fait des fêtes formidables. Elle repère les inconnus effrayants et, dès qu'elle a bu, elle les drague, comme ce type accoudé au comptoir, qui la reluque comme un boucher jauge une carcasse. Avec cette fausse désinvolture qui lui fait horreur et qu'elle adopte mécaniquement dans ces cas-là, elle l'accoste, elle converse, et lui la mate, la frôle, la tripote. Pas de chance, c'est un habitué, elle le revoit à chaque fête et chaque fois, sans s'expliquer pourquoi, elle s'oblige à le saluer, à se soumettre encore et encore à son regard sale et ses mains baladeuses. Elle parvient toujours à se soustraire à temps, mais elle dort mal, elle fait des rêves troubles, elle est toute seule, il la voit, il s'approche, il sourit, il sort son sexe. Elle se réveille en sursaut, le corps tendu de plaisir et de haine.
Elle s'interdit les fêtes.

Elle cherche obstinément une explication aux méduses. Selon les jours, elle se dit que c'est l'accident de ses quinze ans, qui l'aura fait passer de l'insouciance d'une vie heureuse à la conscience de sa finitude. Ou bien les épreuves inhérentes au chemin initiatique vers la pleine conscience. Ou encore le confinement bourgeois et la vacuité angoissante des masques sociaux.

Dans sa famille, il y a certainement des cadavres non reconnus et des placards fermés à triple tour. Elle cherche. Elle enchaîne les séances de groupe, les séances individuelles, les séances de yoga de la voix. Elle arrête de s'acheter du cannabis. Elle veut comprendre, elle veut avancer, la rage de vivre gronde et la met dans des colères effroyables qu'elle peine à dissimuler sous la glace de ses politesses.

En thérapie individuelle, elle achoppe souvent au même seuil : elle est triste et découragée, elle se concentre, elle respire, elle descend dans ses sensations et la colère lui brûle soudain la gorge, sa bouche se distend sans qu'un seul mot en sorte, elle étouffe et, très vite, elle n'est plus là, assise dans le cabinet couvert de boîtes à œufs, mais petite et perdue et gelée, debout, dans un immense désert blanc, à attendre.

Elle appelle cet endroit *ma petite fille sur la banquise*, elle ignore que cette petite fille a encore longtemps à m'attendre.

Elle a vingt-trois ans. Elle commence à écrire l'histoire de *Jeanne, aux yeux couleur de plâtre*. Elle y pense beaucoup, elle écrit peu.

Elle joue un petit rôle dans une série policière grand public et un jour, qui a commencé de bonne heure, elle se repose seule dans un car-loge, lovée dans un des confortables fauteuils du maquillage. L'un des acteurs principaux entre, elle fait semblant de dormir ; elle n'apprécie pas ses regards appuyés, ses réflexions continuelles sur ses fesses lui qui l'appelle sa *négresse blanche*. Il s'approche, elle ne bouge pas, elle garde les yeux clos et soudain, une bouche lippue sur ses lèvres. Elle est tétanisée, il éclate d'un grand rire sonore et sort sans dire un mot.

Au printemps, elle tombe passionnément amoureuse d'un guitariste surdoué aux yeux anis, ils sont aussi maladroits qu'émus, elle passe chez lui presque toutes ses nuits.

Ils font l'amour, mais à chaque pénétration, lui doit forcer le passage et elle serrer les dents, l'orifice étroit est toujours à sec. Une fois qu'il est en elle, elle apprend à se détendre et découvre parfois le vertige délicieux des orgasmes conjoints. À condition qu'il n'approche pas les doigts du creux entre ses cuisses. À condition d'être suffisamment ivre si c'est une pipe qu'il veut.

Elle arrive au terme de ses trois années à l'ESAD et, au lendemain des présentations publiques, elle se réveille nauséeuse. Les compliments reçus au sortir de scène, *ravissante, belle, radieuse,* lui donnent envie de vomir. Elle ne connaît pas cette fille dont on lui parle.

Pour un mariage, elle revient sur les lieux de son accident de mobylette, huit ans auparavant. Rien de ce qu'elle a vécu depuis n'a eu la beauté enveloppante de cette nuit au poste frontière de son existence, alors elle s'accroche aux sensations qui l'ont retenue à la vie cette nuit-là, au feu d'artifice d'une pomme croquée à pleines dents, à l'odeur des aiguilles de pin roulées au bout des doigts, à la chaleur vibrante et moite d'une poignée de terre grasse, elle s'accroche pour ne pas glisser d'un toit ou tomber d'une fenêtre.

À l'automne, elle troque les cours de yoga de la voix contre des cours de la Méthode Feldenkrais, découverte l'année précédente.

Un jour, la prof est absente et une autre la remplace. Elle observe les corps dépliés sur le sol avec l'attention tendre d'une entomologiste pour des insectes inconnus. Elle regarde Adélaïde travailler, lui propose quelques mouvements et lui demande :

— *Dis-moi, quand je te demande d'aligner ton bassin avec le reste de ton corps, comment fais-tu ?*

— *Je vérifie par rapport aux lattes du plancher, ou bien par rapport à mes deux bras allongés.*

— *D'accord. En fait, tu te sers du sol, ou de tes bras, pour connaître la position de ton bassin ?*

— *Oui, c'est ça. Ce n'est pas comme ça qu'il faut faire ?*

— *Tu pars de l'extérieur pour comprendre un mouvement intérieur. Est-ce que tu pourrais essayer l'inverse ? Sentir ton bassin du dedans et ajuster ta position en conséquence ?*

Tout le reste du cours, elle essaye, elle essaye, mais elle a beau essayer, elle ne parvient pas à habiter son bassin. Elle sent ses pieds, ses mollets, ses cuisses, puis son ventre, sa poitrine, ses bras, son crâne. Au centre, un hiatus, une béance où la sensation s'engouffre pour réapparaître plus loin.

Elle n'en dort pas de la nuit, lui reviennent les commentaires des profs de théâtre, la perplexité des amoureux, l'ennui qu'elle ressent quand elle doit faire l'amour. Elle ne sent pas son bassin ! Elle vit avec une contrefaçon, un fac-similé que rien n'innerve. Son vrai bassin a disparu. Depuis longtemps, sans doute, puisqu'elle n'avait pas idée que ce pouvait être autrement. Elle ne comprend pas.

Le jour, elle passe son permis et enchaîne les castings ; le soir, elle vibre dans l'effervescence de la jeune scène de jazz, aux concerts où son chéri l'emmène. Elle a besoin d'être divertie d'elle-même.

Juste après Noël, plus de deux cent mille personnes meurent du tsunami qui a ravagé l'océan Indien. Elle se repaît des photos de cadavres bleus et gonflés qui hantent les journaux, elle se hait de le faire.

Un metteur en scène soixante-huitard, à l'intelligence aussi vive que méandreuse, l'engage sur sa prochaine création. Si elle a déjà tourné dans des téléfilms, c'est la première fois qu'elle joue sur scène avec des professionnels, elle est grisée. Le comédien qui a le rôle de l'amoureux lui explique qu'il va falloir *prendre des cafés ensemble, boire des coups, apprendre à se connaître, pour densifier le lien sur scène.* Elle le croit, il a plus d'expérience qu'elle. Et il a l'air sympathique.

Dès le premier café, place Denfert-Rochereau, il flirte, elle est gênée, elle se sent obligée de glisser, *Je suis désolée, je suis en couple,* et lui de répondre avec un sourire enjôleur, *Qu'est-ce que tu vas t'imaginer ?* Elle se sent idiote, vaguement coupable de l'intimité forcée qu'il installe.

L'équipe est soudée et accueillante, elle a envie de s'intégrer. On sourit de leur complicité apparente, on les trouve mignons tous les deux, mais ses mots poissent et la collent, elle les entend même quand il n'est plus là. Ses mains se promènent, la frôlent, chaque jour plus précisément. Elle a de violentes crampes d'estomac, elle sanglote dans le métro sans comprendre pourquoi, elle fait des cauchemars crasseux.

Quand vient le temps des représentations, il l'embrasse de force derrière le rideau, juste avant qu'elle entre en scène. Sur le plateau, dans la pénombre, quand l'attention du public est ailleurs, il promène sa main sur la cambrure de son dos et lui empoigne les fesses, elle ne peut pas bouger pour se dégager.

Un soir, il manque de la tuer en voiture. Il voulait la raccompagner, il était soûl à faire peur, il avait tellement insisté qu'elle n'avait pas osé refuser. Il avait passé le trajet à pousser la complainte geignarde de l'amoureux éconduit par la garce frigide et elle à s'accrocher au siège à chaque coup de volant. La voiture avait fini sa course sur un trottoir, entre un banc et un platane.

Elle n'en parle ni à son chéri, ni à son thérapeute, à personne. Elle le croit quand il lui reproche d'être *coincée, froide, insensible,* quand il insinue que c'est sa faute, que c'est elle qui le tourmente, elle qui le provoque. Les méduses ont leur empire en elle depuis trop longtemps pour qu'elle discerne les nouveaux tentacules. Elle a mal au ventre, elle perd sa voix, elle angoisse avant de monter sur scène, mais elle ne voit pas le rapport, elle se trouve compliquée.

Elle consulte une phoniatre après une énième extinction de voix : *Dysphonie fonctionnelle avec tension +++*

dans les mâchoires. On lui prescrit deux fois par jour un cycle d'exercices. Elle ne vient jamais à bout du cycle, à peine commence-t-elle à faire travailler ses mâchoires que les méduses surgissent ; se fracasser le front et sentir le sang chaud lui ruisseler au visage, cribler son corps de coups, s'agrandir le sourire aux ciseaux. Elle se gifle et les méduses refluent. La phoniatre lui reproche d'avoir manqué de sérieux sur les exercices, mais comment lui expliquer ? Elle annule les rendez-vous suivants.

Après cette pièce, elle rate tous les castings : trop extérieure, trop fébrile, trop volontaire, trop tendue. Elle écrit dans son carnet bleu ciel : *Comment fait-on pour croire en soi, tout seul ? L'avenir est une table rase où j'ai peur de glisser.*

Il me faudra presque dix ans pour poser sur les mots et les gestes de ce comédien, sur le baiser forcé de la star de série télé, les termes *harcèlement sexuel* et *agressions sexuelles*, dix ans pour prendre la mesure du désastre qu'ont été pour moi ces premières expériences professionnelles, dix ans pour cesser de m'en sentir coupable.

À vingt-quatre ans, elle court dans tous les sens, elle s'adonne à mille activités, elle se farcit l'esprit de projets. La nuit, elle rêve qu'elle est en retard, le jour, elle s'arrange pour n'être jamais en avance. Ne laisser aucune place aux méduses.

Si un regard d'homme glisse sur elle sans s'arrêter, elle n'est plus bien sûre d'exister. Alors elle rit, elle secoue les cheveux, elle fait le clown, elle raconte n'importe quoi pourvu qu'on s'intéresse, pourvu qu'elle se voie s'agiter dans la pupille en face et que perdure la sensation fugitive d'appartenir aux vivants, au monde commun, intelligible, ordonné.

Son thérapeute lui parle des constellations familiales, il pense que cette méthode l'aiderait à découvrir ce qui fait attendre *la petite fille sur la banquise*. Elle s'inscrit à un week-end.
C'est au même endroit que les thérapies de groupe,

ils sont une bonne dizaine assis en silence sur les matelas. Après un tour des prénoms et des météos intérieures, la première constellation commence. Les thérapeutes posent deux-trois questions succinctes au jeune homme qui s'est porté volontaire et l'invitent à choisir, parmi les participants, des représentants pour ses parents et grands-parents. Puis les représentants en chaussettes déambulent doucement sur la moquette beige, cherchant la place qu'ils sentent la plus juste, attentifs aux sensations et aux images qui surgissent en eux, entre eux. Peu à peu, pas à pas, sous les yeux ébahis du constellant silencieux, une vieille histoire de famille émerge du néant. C'est passionnant, il y a des rebondissements incroyables, des découvertes vertigineuses, des émotions intenses.

Elle lève la main pour être constellée, elle a hâte de découvrir enfin ce qui la terrifie. Mais celui qui incarne *Ce qui fait attendre la petite fille sur la banquise* épouvante tous les représentants de sa famille, sans que nul parvienne à le nommer, sans que nul semble le connaître. Les thérapeutes la consolent, *La constellation ne dévoile que ce que le constellant est en capacité de découvrir. L'information viendra quand tu seras prête à la recevoir.*

Elle sort de ce week-end soulagée. Elle a trouvé un moyen pour tirer son histoire au clair.

L'été, elle va en Italie pour un stage avec une metteuse en scène disciple de Jerzy Grotowski. On travaille corps et voix jusqu'à épuisement, jusqu'à ne plus rien tenir, ne plus rien vouloir et qu'alors, enfin, quelque chose de nouveau et de vivant advienne. Elle a beau s'échiner, la fatigue ne la détend pas, elle ne lâche pas la garde. Elle ne parvient pas à différencier la tension dramatique de la tension musculaire. Quand elle travaille à détendre son visage, l'étau sur sa gorge serre plus fort, étouffe ses émotions et empâte son élocution. Elle se sent acculée à elle-même.

Elle fera un deuxième puis un troisième stage dans les splendeurs juteuses de figues et de vallons de la campagne toscane, à tenter d'arracher à mains nues les entraves qu'elle a si patiemment forgées pour se protéger des méduses.

Elle part seule quelques jours dans une maison familiale, avec l'intention d'avancer l'écriture de *Jeanne*. Elle écrit peu, elle dort, se gave et se masturbe avec un mépris brutal.

Quand, plus tard, dans un train, son chéri lui reproche d'avoir encore grossi, elle le gifle.

Cette année-là, elle a du mal à boucler ses heures d'intermittente du spectacle, alors elle fait du *voice-over* pour une émission pornographique américaine. De jeunes cameramen se rendent dans des beuveries étudiantes pour y manipuler les jeunes filles les plus alcoolisées. Contre un tee-shirt ou une casquette, elles commencent par montrer leurs seins à la caméra et finissent par se masturber, seules ou entre amies, dans un bus de tournée transformé en studio. Elle doit imiter leur *Oh* et leurs *Ah*, faire entendre en français leurs *My God Oh Ah Oh my God Yes*. Elle emmagasine les images de centaines de vulves roses, de vulves brunes, de vulves déboisées, marketées, de vulves comme détachées du corps de ces jeunes filles, elles-mêmes labélisées, se ressemblant toutes, poussant les mêmes cris dans les mêmes postures, se conformant à ce que le cameraman veut obtenir d'elles, taisant leur sensualité, leur sauvagerie, leur romantisme, se croyant libérées quand elles sont exploitées.

Elle n'est ni révoltée ni choquée, elle leur ressemble, leurs désirs contradictoires ont la couleur de ses propres marécages.

Elle note comme résolution de nouvelle année : *Prendre mes peurs par la main pour rencontrer le Barbare.*

Et un peu plus tard : *Je suis si triste, si je pouvais au moins savoir pourquoi.*

Les nuits où elle dort seule, elle fait souvent le même cauchemar. Elle est debout dans la pénombre, elle sent une drôle d'odeur molle et écœurante, peu à peu ses yeux s'habituent et distinguent les parois inégales et mouvantes de la petite pièce au centre de laquelle elle se tient. Quatre murs aveugles, un plancher, un plafond. Les parois sont tendues de muscles vermillon, tapissées de chair, elles palpitent. *Poumpam poumpam*, elle connaît ce rythme, *poumpam poumpam*, elle a ce rythme au bout de sa langue, *poumpam poumpam*, qu'est-ce que c'est déjà ? C'est son cœur qui gît là, dans ses mains, ses mains osseuses et blanches, c'est sa chair, sa chair à elle, qui façonne les parois, et ce squelette debout et décharné au centre de la pièce, c'est encore elle, et le squelette se met à bondir, à rebondir, il se cogne et ses os pointus arrachent aux murs de longs rubans de sang, des jets blancs et visqueux qui fusent et s'agglomèrent, la pièce rétrécit, et plus il y a de sang et de graisse, plus elle manque d'air, plus elle suffoque. Elle s'extrait du sommeil à demi noyée.

En thérapie, elle explore des pistes qui l'apaisent un temps, puis finissent en cul-de-sac. Les frénésies alimentaires, la tristesse, la brutalité ne disparaissent jamais longtemps, quelques jours, parfois une ou deux semaines. Elle vit en pointillé. À force de gratter le vernis des portes fermées, de fouiller les greniers, de battre la campagne, elle en veut à ses sœurs, à son frère, à ses parents, à ses grands-parents et à tous ses ancêtres.

Elle participe à quatre autres week-ends de constellation familiale, elle essaye la respiration holotropique, le rebirth, le cri primal, la kinésiologie, les élixirs floraux, le millepertuis, elle consulte un étiopathe, elle va voir une astrologue. Elle lit quantité de livres de développement personnel, de spiritualité indienne, de communication non violente, elle découvre Jung et

Schopenhauer. Elle est comme ces bougies d'anniversaire entêtantes qui se rallument sans cesse jusqu'à ce qu'on les noie dans un verre, elle est petite-fille de légionnaire et, tant qu'il y a la guerre, elle va au front.

Elle a vingt-cinq ans et elle voit ses jours s'étirer, s'étaler, se dérouler au-devant d'aujourd'hui comme au dos d'hier, et toujours la trace poisseuse et rouge de son corps qu'elle traîne.

Elle s'entête à écrire l'histoire de *Jeanne.* Parfois, à peine a-t-elle commencé une scène qu'elle trébuche sur un mot. Elle le ramasse, elle en examine méticuleusement chaque facette, elle froisse et défroisse tournures et agencements, mais les mots ont toujours un sens d'avance sur elle, il y en a toujours un qu'elle n'avait pas ouvert et dont le contenu la bouleverse et l'emporte ailleurs, une voyelle qui sonne un peu trop clair, des rimes non consentantes, des politesses fortuites ; elle se perd en quelques phrases. Parfois, elle s'arrête d'écrire sans s'en rendre compte, elle glisse et, de tout le poids de son vieux corps, elle coule dans les eaux sombres. Après, elle s'ébroue, elle va à la salle de bains s'asperger d'eau froide, elle reste longtemps devant la glace sans se voir. Plus que quelques heures à attendre avant la fin du jour.

Aux castings, elle se caricature, elle rougit, elle balbutie, elle se foule à ses propres pieds. Elle ne se projette guère plus loin que le surlendemain, elle n'arrive pas à passer le moindre coup de fil, à faire les démarches nécessaires. Elle est au-dessus ou en dessous, elle est sens dessus dessous.

Alors, à un énième casting raté, quand on lui parle d'une comédienne pédagogue, elle s'inscrit pour un stage de trois jours.

Ils sont une douzaine de participants, en tenue souple et pieds nus, aussi bienveillants qu'affamés d'existence. Après un échauffement attentif et tendre de chaque partie du corps, ils se répartissent dans la salle et, dès que toutes et tous se sentent prêts, une chanson démarre. La consigne est de laisser le corps libre de raconter ce que ça lui fait, là, tout de suite, d'être traversé par cette voix, ces paroles, cette musique. Elle danse, elle saute, elle exulte, elle tourbillonne, elle s'effondre, elle repart, elle dépense une énergie folle, elle est contente, mais très vite la prof pointe, *Tu te racontes des histoires. Tu prétends être bouleversée alors qu'en réalité tu fabriques, tu ne montres rien, tu ne te laisses pas toucher. Quand on veut obstinément cacher une partie de soi, rien ne filtre de nous que notre obstination à nous cacher.* Touché coulé. Enfin un port franc où déposer les armes et réapprendre à jouer. Voilà quelqu'un qu'elle ne pourra pas bluffer, qui ne l'autorisera plus à tricher.

Elle restera trois ans à l'École du Jeu. Le temps de déconstruire brique par brique ses remparts, de se mettre à nu, de trop vouloir, de désespérer, d'abandonner, de recommencer, de travailler, de s'abandonner enfin. Le temps de ne plus se reconnaître. Le temps de commencer à lier connaissance.

Nuit après nuit, sa merveilleuse vie amoureuse avec le guitariste chéri se délite. Elle se sent seule. Ils s'aiment toujours aussi fort, mais nul ne sait plus déchiffrer les silences de l'autre, trop absorbés qu'ils sont par leurs propres béances. Elle ne retrouve plus le désir de leurs débuts, le plus souvent elle le laisse la pénétrer, puisqu'il en a envie, puisqu'elle lui doit bien ça, puisqu'ils sont un couple.

Avec ses amies, elle s'accroche à son sourire comme un naufragé à son radeau, et d'être pour quelques heures comme tout le monde la submerge chaque fois d'une joie sauvage. En dehors de son cercle d'intimes, on la trouve hystérique, trop *à faire son Adélaïde*, à s'exclamer, à rire trop fort, à s'enflammer trop vite, et c'est vrai qu'en public elle ne tient pas en place, elle virevolte, elle pirouette, elle sautille, surtout, surtout, ne pas rester trop longtemps debout sur la même planche.

Deux jours par semaine, à l'École du Jeu, elle travaille à défaire ses habitudes, à ne pas truquer, à être attentive à ce qu'elle sent de plus juste en elle. Elle ferraille avec ses serrures : le foutu bassin qui se fige pour rien, le nœud à la gorge qui obscurcit sa voix, le sourire vain qui lui bâillonne les lèvres. Certains jours, elle a tellement mal aux mâchoires qu'elle ne peut rien mâcher, alors elle entraîne ses camarades au restaurant indien pour avaler un dhal, ou bien elle coupe discrètement les aliments en tout petits morceaux.

Le reste de la semaine, elle travaille à droite, à gauche, de tous côtés. Certains soirs, elle voudrait partir droit devant elle et marcher sans s'arrêter jusqu'à s'endormir épuisée contre une souche. Au réveil, un homme serait là, il dirait, *Lève-toi et marche*, le doigt pointé vers une direction précise, elle se lèverait, elle saurait enfin vers où aller. Ou bien s'enterrer dans le sol et pourrir avec les dernières feuilles d'automne.

Autour de Noël, avec son chéri, elle part sac au dos visiter l'Inde du Sud.
À Tanjore, ils se rendent au temple de Brihadesvara. Il est très tôt, l'immense édifice de granit ocre vibre dans le ciel rouge, les nuées de touristes, de fidèles et de mendiants ne tourbillonnent pas encore, ils sont presque seuls. En elle quelque chose s'étend, ou se détend, le talon qui s'enfonce dans la poussière tandis que le corps s'élève, le pas qui se fait plus lourd, lourd comme cette pierre de quatre-vingt-une tonnes, au sommet du sanctuaire, clef de voûte du ciel alentour. Ils longent les

innombrables statues de Shiva qui dansent dans les premiers rayons caressants du jour. Ils retirent leurs sandales et pénètrent dans le sanctuaire, pour assister à la puja. Si jusque-là ce rite l'avait laissée songeuse, dans l'attente de ce matin-là, elle frissonne. Ils attendent, longtemps, assis à quelques mètres du rideau moiré qui dissimule la divinité, et ne leur parviennent de ce qui se trame de l'autre côté que cliquetis, bruissements, voix étouffées. Enfin le rideau s'écarte : un gigantesque lingam de pierre noire, dressé sur une large yoni. Les brahmanes aux torses nus se sont perchés sur un balcon pour l'atteindre, ils l'aspergent à bout de bras de grandes jattes d'eau claire, de lait blanc, de beurre fondu, tous ces liquides dégoulinent en rigoles sur l'immense pierre humide, se mêlent et s'épandent dans la yoni. Le rideau tombe.

Elle reste assise, hébétée. Elle n'en revient pas de ce qu'elle a vu ; deux énormes sexes, l'érection de l'un ruisselant de foutre à l'intérieur de l'autre ; un nouveau-né scintillant de liquide amniotique jaillissant de sa matrice ; la Création ; la Beauté même, absolue, intimidante, crue. À cet instant, elle appartient à quelque chose d'immense qu'elle ne sait pas définir.

Elle visite, silencieuse, le reste du temple, frémissante, désirante, prise à partie par les statues acrobates, les délicates petites statues qui s'entremêlent et s'attrapent, se saisissent les hanches et se caressent, seins et sexe dressés, langues affairées, pour l'éternité.

Dans ses églises à elle, les statues ne se pâment que de douleur et d'affliction, et lorsqu'il y a des femmes nues en haut des chapiteaux, elles ont la fourche d'un diablotin aux fesses. Dans sa langue, on fait l'amour parfois, mais le plus souvent les hommes soumettent, prennent, possèdent, pénètrent, pilonnent, niquent, défoncent et déboîtent les femmes. Ils tirent leurs coups, ils leur font du sale. Dans son pays, les mises en scène glacées des magazines chic érotisent la douleur et l'humiliation, et quand on parle de femmes libérées vivant une sexualité sans entraves, elles sont généralement attachées aux montants des lits à vanter les bienfaits pour leur peau de se faire cracher du sperme au visage.

Elle comprend ce jour-là qu'elle ne connaît de sa sexualité qu'un pauvre fantôme craintif et confus, défiguré par la honte, dévoré de culpabilité, quand d'autres célèbrent la Joie d'être au monde en enlaçant leurs corps.

Elle a bientôt vingt-six ans, elle aimerait passer moins de temps à penser à la circonférence de son cul et à la médiocrité crasse de sa petite personne. Elle a tellement besoin qu'on la prenne dans les bras, tellement de difficulté à le demander.

À l'École du Jeu, elle se prend jour après jour les pieds dans le même filet, celui qu'elle a patiemment lacé pour se protéger des méduses. Elle cherche à ressentir quelque chose qu'elle n'aurait ni construit ni inventé, une émotion brute, mais sitôt qu'elle s'approche trop d'elle-même, elle se fige, elle s'absente, alors elle recule, elle contourne, elle prétend.

Un après-midi comme un autre, sans relief ni présage, elle travaille en musique à sentir son bassin et les méduses surgissent, de toute part elles la serrent et l'écrasent, elles fourrent leurs tentacules dans sa bouche, elle n'arrive plus à respirer, elle s'étrangle, elle glisse au sol, le sol s'enfonce, elle panique, elle va mourir de peur, mourir pour de vrai. La prof l'empoigne, *Regarde-moi !* *Regarde-moi, Adélaïde, reviens avec nous, arrête de te raconter des histoires, ce n'est pas réel !* Elle s'accroche désespérément à ce regard, à cette voix, elle s'extrait, elle se hisse, elle revient, pantelante, sonnée, elle n'a pas idée de ce qui vient d'exploser. Elle tâche de se convaincre que c'est une histoire qu'elle se raconte, une histoire d'horreur, elle continue à travailler et pourtant. Cette Horreur qui l'a prise à bras-le-corps, elle sait bien qu'elle ne l'a pas inventée, elle lui est trop monstrueusement familière, elle lui vient de quelque part, une basse-fosse tapissée de polypes, au tréfonds.

Un autre après-midi, avec son chéri, elle va au cinéma. Au générique de fin, l'étau lui prend brutalement la gorge. Elle étouffe, elle ne parvient pas à ordonner son souffle, elle s'arrache au fauteuil, elle se dépêche, il faut qu'elle sorte, elle se cogne aux murs, aux gens, *Laissez-moi passer*, elle tombe à genoux sur le trottoir, les mains plaquées sur la bouche. Son copain panique, il hurle, *Mais tu vas te calmer putain*, il se défonce le poing sur un poteau. Silence. Un coup a suffi pour qu'elle soit à nouveau la gentille fille désolée et coupable tellement plus facile à vivre. Pour lui.

Une autre fois, une fois parmi tant d'autres, une crise brutale en pleine rue et pas d'église, pas de toilettes, nul lieu clos où se contenir, elle ne parvient pas à faire un pas de plus, elle se gifle de toutes ses forces pour revenir à elle, retourner au présent, reprendre son souffle, elle s'accroche à un porche, elle suffoque, elle glisse, elle a horriblement mal ; elle va crever, le visage collé à une marche de pierre qui pue l'urine. Puis peu à peu et comme chaque fois, ça passe, elle se relève, se recoiffe, se frotte les joues et reprend son rang dans la file des passants.

Elle entend parler d'une thérapie corporelle par le toucher, elle essaye. Séance après séance, elle est allongée sur une table de massage, en culotte, et sous les doigts précis d'une femme généreuse, elle apprend à tendre ou à détendre des zones de plus en plus distinctes, à ressentir l'atmosphère qui s'installe en elle quand elle les fige. Elle se fixe comme objectifs de retrouver son bassin et de cesser de s'épuiser à plaire à tous les hommes qui passent.

Au début de l'été, à une séance de psychothérapie, elle est particulièrement abattue. Elle se concentre, elle descend, sensations après sensations, gorge qui brûle, cœur absent, ventre noué, elle descend encore, plus rien, si, la petite fille sur la banquise, qui attend. Comme d'habitude.

elle se tord se recroqueville une main plaquée
sur la bouche l'autre sur le sexe
il me frotte mon sexe
elle n'a pas idée de qui, de où, pas de contexte, rien que l'épouvante d'une grosse main d'homme sur son petit sexe d'enfant et cette phrase,

Ça va te faire du bien.

Elle se sent si petite, si démunie, elle écarte l'hypothèse de l'homme de la cage d'escalier, de l'homme du mois de mai. De lui, elle se souvient, ce n'était pas si terrible, certes il a mis la main dans sa culotte et il a fourré sa menotte dans son slip, mais elle n'a pas souvenir d'une telle terreur, d'une telle nausée, elle ne se souvient pas avoir ressenti quoi que ce soit d'ailleurs, ce n'étaient que des *attouchements*.

Jour après nuit, elle passe en revue tous les hommes de son enfance. Elle n'en parle pas au guitariste. Elle arbore son sourire en toc. Elle enfouit l'Horreur en elle.

Plus tard, elle le rejoint, à Majorque, où il répète avec son groupe de jazz. Elle s'est acheté de jolies robes en prévision d'une opération sauvetage et séduction qui s'interrompt sous les étoiles, dès le premier soir. Ils n'ont pas encore commencé leur dîner en amoureux qu'il la quitte. Ils dînent tout de même, ils marchent sur la plage, ils parlent, ils pleurent.

Elle consume l'été de fête en fête à s'alimenter d'alcool. Elle aimerait manger tous les hommes qui passent pour combler le vide, pour peupler la banquise, mais sa détresse est trop visible pour être attirante. Elle perd six kilos en un mois.

Elle quitte le cocon douillet du domicile parental et emménage seule à son retour à Paris. Chaque semaine, elle passe deux jours à l'École du Jeu, une heure en psychothérapie, une autre en thérapie corporelle. Elle participe à trois nouveaux week-ends de constellation familiale, elle fait un stage sur la question de l'Image de Soi, elle consulte une énergéticienne, elle prend des fleurs de Bach, elle fait nettoyer son aura par correspondance. Elle cherche. Elle se bat.

Elle écrit, la veille de son vingt-septième anniversaire, *Je ne connais pas le chemin qui m'emmène, mais j'ai envie de me ressembler enfin, de ressembler à cette photo prise tandis que je dormais et où, sur mon visage, mille ombres inconnues dansaient. Peut-être que cette route, dont les abords deviennent plus précis, moins confus, peut-être est-ce un énième mirage. Mais je suis allée trop avant pour pouvoir revenir sur mes pas et même si cette route est incertaine, même si le brouillard ne recule chaque fois que de quelques centimètres, c'est la route que j'ai choisie et dont j'ai creusé les premiers sillons par mes larmes, mes doutes, ma rage et mon insatiable curiosité.*

Lors des séances de thérapie corporelle, dès qu'il s'agit de tendre ou de détendre l'intérieur de ses cuisses, de son bas-ventre, de son périnée : nausées et remontées acides. La praticienne lui demande si elle a été victime de violences sexuelles, alors elle confie les *attouchements* de l'homme de la cage d'escalier, un dimanche de mai, et aussi l'autre souvenir, surgi en thérapie l'année passée, la grosse main d'homme sur le petit sexe, mais la main de qui, de quand, elle ne sait toujours pas.

Quelques mois plus tard, au cours d'une séance, à travailler encore et encore sur ce dégoût, brutalement, son corps se révulse

entre les cuisses
une grosse main rugueuse qui cogne la vulve qui cogne
des doigts brutaux qui forcent qui rentrent au-dedans
la meurtrissure d'un ongle sur les parois du vagin

il est à l'intérieur de moi il a mis ses doigts dedans c'est lui

Terreur, haine, violence, mépris, dégoût,
douleur, puissance, perversité.
Tout est mélangé. Tout est confondu.

Elle est dans l'escalier de son immeuble, tout est intact, comme la chambre d'un enfant mort où le doudou traîne encore sur l'oreiller et les feutres débouchés sur le petit bureau.

Elle se terre une dizaine de jours au fond du lit, fracassée, et pour que nul ne devine rien, elle invente une grippe colossale. Elle se félicite de ne plus habiter chez ses parents et d'être célibataire.

Après cette séance, elle sent les doigts au-dedans d'elle mille fois par jour, tous les jours. Dans sa paume, l'empreinte d'une verge moite. Discrètement, sans que ça se voie, elle se mord les joues, les lèvres, elle se pince, elle enfonce ses ongles dans la pulpe des doigts, elle s'arrache les sourcils, elle s'essuie la main sur le pantalon. Elle doit chasser la brûlure à l'orée du vagin et la moiteur sale au creux de sa paume. Elle continue à converser, à travailler, à rire. Elle fait avec.

Un réalisateur lui dit, *Tu te rétrécis, tu es trop juvénile, tu construis ta disponibilité sur ton enfant intérieur. Il faut que tu sois plus ancrée dans ta sexualité.* Mais c'est quoi, sa sexualité ? Quelques jours plus tôt, elle est passée en souriant tailler une pipe à un copain, elle a craché le sperme dans l'évier, elle s'est lavé les dents et elle est repartie chez elle. Se gaver. Elle joue à la femme libertine et elle entasse ensuite dans sa bouche le plus de gnocchis qu'elle puisse contenir. Elle hait les fellations. Elle hait l'odeur du sexe des hommes et quand elle approche son museau de trop près, elle est prise de haut-le-cœur. Si l'homme lui presse la tête, elle a envie de meurtre, puis elle s'absente et ne reste plus d'elle que la gentille poupée. Des plaisirs solitaires, elle ne connaît qu'une solitude souillée, à s'avilir et s'insulter dans le secret des salles de bains. Elle aimerait pourtant être la rouquine coquine, la femme plantureuse et libérée que certains voient en elle. Elle aimerait vivre une sexualité joyeuse, simple, partagée, mais elle a beau faire, elle est tour à tour la vierge effarouchée, la bombe sexuelle, la femme frigide, la nymphomane, la soumise, la pute, la madone. Elle sent bien que de tous ces stéréotypes qu'elle endosse, aucun n'est *elle*. Elle n'a pas idée de ce que ce mot de *femme*, de *sexualité féminine* pourrait signifier, elle est une femme dans une civilisation façonnée par les hommes, elle ne connaît sa sexualité qu'à l'aune de la leur.

Elle tombe amoureuse tous les mois ou presque. Comme la Belle au Bois Dormant, elle attend de chaque baiser qu'il la réveille, qu'il la guérisse, et tous sont, quelques semaines, quelques jours, ses princes charmants. Elle s'émerveille, elle s'épanouit, *Oh mon chéri jamais avant toi jamais je n'ai ressenti ça jamais aussi fort*, et les méduses s'enfuient. Mais elle est tellement heureuse et passionnée entre leurs bras que ça les déborde, ça les encombre, et qu'ils prennent leurs jambes à leur cou. Ou bien ils sont fascinés et transis, et elle leur brise le cœur quand le charme se dissipe. Elle retombe ensuite dans sa somnolence haineuse et coutumière, jusqu'aux prochaines lèvres.

Au printemps, elle commence un roman. On y tond une jeune femme sous les drapeaux, elle est amoureuse, il est allemand.

Elle a vingt-huit ans, elle se dit que si elle continue à attendre d'être mieux pour écrire, elle n'écrira jamais.

Depuis quelques tournages, elle se lie d'amitié avec un type passionnant, la soixantaine, elle met du temps à comprendre qu'au fond, ce qu'il cherche, c'est de quoi baiser. Cette vieille rengaine des types du métier, *Tu es formidable, tu as du talent, je vais t'aider à percer,* et leur main ensuite entre tes cuisses, elle l'a entendue, souvent, trop souvent, elle en a assez de leurs promesses à conditions, assez de chasser leur main, assez que ce soit à elle, chaque fois, de s'excuser.

Au fil des consultations avec une nouvelle nutritionniste, elle s'alimente mieux, mais si les crises s'espacent un peu, le souci continuel de manger ou ne pas manger l'encombre, alors elle consacre sa seizième journée de constellation familiale à la question de la boulimie. Le lendemain matin, la voilà qui s'interrompt au beau milieu de son bol de céréales. Elle n'a plus faim. Elle ne se souvient pas avoir jamais ressenti ça, la satiété, cette satisfaction délicate de s'arrêter quand c'est assez.

Repas après repas, elle découvre la gourmandise, le raffinement inouï que ce peut être de savourer un plat lentement, d'en saliver d'avance, de s'en délecter, de laisser les arômes s'épanouir en bouche sans les chasser trop vite par une autre fournée. Elle découvre aussi que sa gourmandise nouveau-née s'accompagne systématiquement d'une fulgurante douleur aux mâchoires. Elle fait avec.

Au début de l'été, à un mariage où elle ne connaît personne et où elle craignait de s'ennuyer beaucoup, elle rencontre un grand type dont elle tombe instantanément amoureuse. Elle est très intimidée par l'intensité de cette émotion et par cet homme sensible et drôle qui semble aussi intimidé qu'elle. Il l'avertit, il a dix ans de plus, deux enfants, et il serait temps qu'il aille voir un psy. Ils se font la cour comme au temps jadis, deux mois avant d'oser ne serait-ce que s'embrasser. Elle est loin de ses conquêtes éclair et de ses hommes Kleenex.

Mois après mois, leur amour la porte et tout lui paraît désormais possible. Elle est engagée dans quatre spectacles par des metteurs en scène très différents dont elle aime les univers et le propos, elle voyage, elle accumule les recherches et les idées pour son roman, elle s'essaye au slam. Elle aimerait faire jaillir toutes les histoires qui moisissent en elle à force de l'attendre.

Alors oui, il y a les crises d'angoisse inexpliquées, la brûlure mille fois par jour au creux du sexe, la surveillance constante d'elle-même et des alentours, la tentation souveraine de se flageller, les absences répétées au milieu des conversations, l'épuisant besoin d'exister dans le regard des hommes, les douleurs aux mâchoires. Mais elle s'autorise, elle se projette, elle envisage le surlendemain, et sur scène, elle laisse les textes comme les personnages la traverser en entier. Elle est souvent heureuse. Elle est fière de tout ce travail qu'elle a accompli pour y parvenir.

Elle a le sentiment de commencer à s'en sortir.

Les recherches historiques de son roman sont terminées, les premiers chapitres se dessinent et, paragraphe après paragraphe, elle prend peur. Lorsqu'elle écrit, la tête lui tourne, les mots lui filent entre les doigts, elle n'arrive pas à les retenir et bientôt elle n'en aura plus, de mots, elle sera coincée là, mutique, à attendre, sur la banquise. À trop se juger, à trop se contenir, elle triture chacune de ses phrases et n'écrit bientôt rien que de petits tas de plâtre.

Un jour de répétition, quelqu'un pénètre dans le théâtre aux portes ouvertes, vole son ordinateur, et avec lui les recherches et les premières bribes du roman, ainsi que les ébauches d'autres romans, l'histoire de *Jeanne*, des nouvelles, des poèmes, des textes épars. Elle n'avait rien sauvegardé, rien imprimé, rien envoyé, elle n'avait jamais fait lire une ligne à quiconque. Les méduses déploient au large leurs ombrelles et laissent leurs filaments soyeux danser au gré des eaux glacées. Dès lors, sitôt qu'elle s'assoit pour écrire, elle les sent s'agglutiner dans son tronc, dès qu'elle note quelques mots, elles se pressent, elles s'empilent, elles lui montent à la gorge, elles l'étouffent. Elle a peur qu'elles lui débordent de la bouche et qu'elles envahissent à jamais l'horizon. Elle arrête d'écrire.

Depuis plusieurs années, elle transmet l'amour de lire et le goût de raconter des histoires à des gamins défavorisés. Elle aime ça, transmettre, mais elle y cherche un engagement plus politique, alors elle rejoint une compagnie féministe qui mène des ateliers pour l'égalité femmes-hommes. Au cours de sa formation, elle assiste à un colloque sur les violences sexuelles. Elle est stupéfaite de ce qu'elle y apprend, stupéfaite aussi d'entendre tout cela pour la première fois. Elle prend dix-huit pages de notes :

L'impact traumatique des violences dépend de la confrontation de la victime à l'intentionnalité destructrice de son agresseur, absolument pas de sa personnalité à elle, ni même des faits à proprement parler !

Tous les agresseurs usent des mêmes stratégies de prédation pour isoler leurs victimes et les contraindre au silence, afin d'assurer leur impunité !

Une psychiatre passionnante, spécialiste du soin aux victimes de violences sexuelles, explique magistralement comment le cerveau disjoncte lors d'un viol, comment se crée une mémoire traumatique enfouie de l'événement et quelles en sont les conséquences massives sur la santé, la sexualité et la vie sociale des victimes.

Elle note les mots *dissociation, conduites à risques, conduites d'évitement, attaques de panique, violences que l'on s'inflige à son corps défendant, cauchemars répétitifs, sensations de pénétration*, elle note, *À tous ces symptômes, les victimes ne comprennent rien. Plus on a été agressé jeune, plus on a d'amnésies et de troubles psychotraumatiques, plus on a de mal à voir le rapport entre la crise de panique au présent et l'agression du passé.*

Elle note avec avidité, mais elle non plus, elle ne voit pas le rapport.

Le jour de ses trente ans, une amie l'emmène dans un café où l'on se fait tirer les tarots gratuitement, à condition d'arriver en avance et d'attendre longtemps. Elle doit penser à une question qui lui tient très à cœur. Elle demande, *Qu'est-ce qui m'empêche d'écrire ?*

C'est son tour, le tarologue est flanqué de trois élèves qui hochent la tête chaque fois qu'il parle, il la scrute, abat quelques cartes, pose quelques questions, dresse un diagnostic : tant qu'elle sera, pour sa mère, l'incarnation de son grand-père, elle ne pourra pas réaliser sa vie. Il lui prescrit *un acte psycho-magique* ; elle doit agrandir une photo du visage de son grand-père maternel, le héros de la famille, pour s'en faire un masque. S'habiller en légionnaire, mettre le masque et un képi blanc, et surprendre sa mère ainsi déguisée pour lui annoncer, *Je suis ton père*. Puis, *Retire ce masque, Déshabille-moi*, et une fois complètement nue, *Je suis ta fille, c'est la première fois que tu me vois*. Se rhabiller ensuite, mais avec des vêtements de femme, dentelles, robe, talons. Déchirer avec sa mère le masque-photo, creuser un trou dans la terre pour y enfouir les lambeaux, planter au-dessus une plante verte. Ce serait la seule condition pour écrire et réaliser enfin sa vie, une vie qui serait alors *passionnante et lumineuse*. Elle voudrait éclater de rire, mais tous la regardent avec tant de sérieux. Elle frissonne, elle est perdue. Le tarologue saisit sa main, *Si tu veux te réaliser, si tu veux écrire, tu fais exactement ce que je t'ai dit, c'est ton unique solution. Une fois qu'un acte est prescrit, il demande à être effectué.*

Je ne l'ai pas fait. Je n'ai pas débarqué dans l'élégant salon de mes parents déguisée en héros de la France libre qui parlerait comme Dark Vador. Mon grand-père, tué en Indochine quelques mois avant que naisse ma mère, mon légionnaire, je l'avais exhumé mille fois déjà en thérapie, j'avais sondé et sondé encore la profondeur de chaque impact, tout comme j'avais tâché de tout autopsier de tant de cadavres, comme j'avais fracturé tant de placards, tambouriné à tant d'issues. Je voulais comprendre ce que j'avais et qui n'avait pas de cesse, et certainement l'a-t-il senti, l'endormeur aux tarots qui fit dépendre ma vie entière d'un mauvais vaudeville.

Peu après, elle emménage avec son amoureux dans un appartement assez grand pour accueillir les deux enfants en garde alternée et elle s'aventure dans les sables émouvants du rôle de belle-mère. Elle n'en revient pas de sa chance, de cet homme merveilleusement attentif et tendre, de la simplicité déconcertante que c'est soudain de s'aimer.

À l'automne, au cours d'une semaine de formation dans la compagnie féministe, un après-midi est consacré au cadre pénal des violences faites aux femmes. C'est l'heure du thé, gâteaux et sachets jonchent la table, chacun note consciencieusement sur son calepin que *le harcèlement moral, le harcèlement sexuel, les agressions sexuelles sont des délits, dont le tribunal correctionnel et ses trois juges se saisissent, mais le viol, le meurtre et la torture sont des crimes jugés en cour d'assises, par trois juges et six jurés tirés au sort.* La metteuse en scène leur lit les articles de loi : *Tout acte de pénétration sexuelle, de quelque nature qu'il soit, commis sur la personne d'autrui par violence, contrainte, menace ou surprise est un viol.* Elle précise chacun des termes, *La pénétration peut être qualifiée tout aussi bien par une fellation imposée, que par un doigté vaginal, ou par*

par un doigté vaginal ?

Des mots comme une trouée d'éclairs.

Ce qu'elle appelle depuis plus de vingt ans *attouchement sexuel,* ses doigts à lui en elle, ses doigts à lui retrouvés en elle quatre ans auparavant et chaque jour depuis, c'est un VIOL. Peut-être après tout n'est-elle pas si folle, peut-être y a-t-il une raison à sa souffrance ? Quelqu'un lui a fait du mal, quelqu'un lui a fait ce mot-là. Et si la clef qu'elle cherche depuis toutes ces années, toutes ces années à fouiller en vain, si la clef, c'était ce mot ?

II

Elle a trente et un ans. Elle avance, elle va mieux, mais chaque fois qu'elle parvient à goûter à une miette de présence, une fatigue de plomb s'abat sur elle, quelques jours ternes et abattus collent à ses découvertes comme à ses joies.

Un jour, elle parle à son psychothérapeute de ces images violentes où elle se voit morte à chaque coin de rue, écrasée, démembrée, éviscérée, plusieurs fois par jour, tous les jours. *Rien de bien grave, mais maintenant que je fais du vélo dans Paris, c'est gênant, ça me déconcentre.* Il est stupéfait. Pourquoi ne lui en a-t-elle jamais parlé, en bientôt dix ans de travail thérapeutique ? À elle d'être interloquée. *J'y suis tellement habituée, je n'y prête pas attention.* Elle sourit, penaude. *Je pensais qu'il n'y avait rien à en dire. Non, je ne sais pas précisément quand ça a commencé. À l'adolescence déjà, j'avais du mal à me concentrer, les images surgissaient tout le temps. Mais sincèrement ce n'est pas grave, c'est surtout à vélo que ça me gêne.*

Il y a tant d'horreurs dont elle ne lui parle pas, dont elle n'a même pas l'idée de lui parler.

Avec la compagnie féministe, elle anime des ateliers d'écriture et de théâtre dans des lycées en Île-de-France. Comme elle passe beaucoup de temps dans les transports en commun, elle renoue avec ses combines de jeune fille : porter une écharpe pour décourager les regards sur sa poitrine, coller les fesses aux portes pour éviter les frotteurs des heures de pointe, avoir la tête et le regard baissés, lire un livre ou être absorbée par son téléphone, se donner l'air indisponible. Elle ne compte plus les exhibitionnistes, les harceleurs de rue et les frotteurs qu'elle a croisés dans sa vie de citadine, les types en voiture qui ralentissent pour demander un renseignement la verge à l'air, les types qui s'assoient juste en face dans le métro et se masturbent de façon à ce qu'elle seule les voie, les types qui lui précisent comment ils la baiseraient et comment ils bandent en pensant à sa chatte, les types qui insultent la sexualité de sa mère et de sa grand-mère parce qu'elle n'a pas donné son 06, les types qui. Elle connaît trop l'impunité des hommes dans l'espace public.

Un soir, à la station RER Luxembourg, une quinzaine de bourgeois en kilt entrent dans la rame. Ils fêtent un match de rugby, à coups d'alcool et de chansons obscènes qui prônent le viol et la violence physique contre les femmes. Ils sont contents d'eux, ils vociférent des paroles d'une telle brutalité qu'elle se recroqueville et se bouche les oreilles. Elle voudrait que toutes les femmes du wagon se lèvent avec elle pour leur intimer le silence, mais elle ne parvient même pas à lever la tête. L'un d'eux, tête de jeune cadre dynamique, chemise repassée, lunettes de travers, s'approche et lui postillonne dessus :

La digue du cul non ce n'est pas le diable
Mais mon gros dard poilu, la digue du cul.
La digue du cul qui bande et qui décharge
La digue du cul qui bande et qui décharge
Et qui t'en fout plein l'cul, la digue, la digue.
Et qui t'en fout plein l'cul, la digue du cul.

Personne n'intervient, elle s'échappe à la station suivante, elle court, elle sanglote, elle en a plus qu'assez de ces hommes qui mesurent leur trique à l'effroi qu'ils causent.

En atelier elle seconde des jeunes gens qui, d'exercice en exercice, font le tri entre les mots qui nomment et ceux qui jugent, ceux qui sonnent clair et ceux qu'on s'impose. Elle accompagne l'éclosion de jeunes filles résignées qui s'empourprent soudain quand elles découvrent comme elles sont asservies. Elle apprend à reconnaître les symptômes des victimes, à établir la confiance qui permet aux maux de se dire, aux crimes d'être dénoncés, souvent pour la première fois. Elle découvre comment confier le suivi aux personnes compétentes, signaler délits, crimes et dégâts, orienter les accompagnants démunis vers des associations de confiance. Au fil des ateliers, toute cette pile de mots appris dans sa formation, *sexisme, homophobie, violences conjugales, enfants témoins victimes, violences éducatives, incestes, excisions, mariages forcés, polygamie, harcèlement sexuel, agressions sexuelles, viols, viols en réunion,* tous ces mots deviennent les histoires de filles et de garçons formidables à en avoir chaque fois le cœur bouleversé d'amour, jeunes femmes et hommes courage, aux sourires éclatants et aux histoires effroyables. Et de leurs mots qui tremblent à leurs mots qui accusent, elle sent qu'au cœur d'elle-même la honte s'étiole et la colère se lève, elle a les joues qui gonflent de mots trop longtemps tus et des phrases plein la tête.

Avec son amoureux, la timidité des premiers temps s'est dissipée, ils n'ont plus besoin d'alcool pour s'enlacer. Sans l'ivresse, chaque fois que son sexe est à l'orée du sien, elle se mord les lèvres, se contracte, se raidit, elle veut rester là, elle ne se laisse pas submerger par le dégoût, elle essaye d'ignorer les doigts. Elle s'accroche au regard de l'homme qu'elle aime, ensemble, ils traversent le seuil fétide ; ils s'embrasent à nouveau. Elle lui a raconté, il a bien fallu, il se demandait qui était cet affreux qui s'invitait chaque fois dans leur lit. Il apprend à faire ménage à trois.

Ils se marient au début de l'été. Elle a le sentiment, enfin, d'en être, d'appartenir au même monde qu'eux tous, et lors des discours de mariage se déchire un peu de ce long voile qu'elle avait tiré entre elle et sa famille, ce voile derrière lequel elle les imaginait debout et souriants, assemblés face à elle, les mains devant leurs yeux et sur leurs mains, de grands yeux dessinés qui la regardaient sans la voir. Elle qui n'a jamais su être légère aux repas de famille, qui leur rentrait dedans à coups de convictions sans appel et de polémiques stériles, elle qui se sentait cataloguée comme l'hypersensible, l'hypersusceptible, l'intolérante, celle qui aurait pu réussir et qui préfère donner des ateliers à des jeunes de banlieue, l'ingrate qui se plaint alors qu'elle a tout, finalement, elle aussi les jugeait, elle aussi les regardait sans les voir. Le voile était opaque dans les deux sens. Les yeux de son père brillent lorsqu'il loue son *inlassable joie de vivre* et qu'il souligne en souriant *ce goût étrange pour les « psys », qui détonne un peu, mais après tout, nos ancêtres avaient les curés et les confessions.* Elle entend ce que ses colères et ses absences ont pu avoir d'incompréhensible et de blessant aux piques de son grand frère, *On ne s'en rend pas toujours bien compte quand on est la petite dernière, mais tu peux demander autour de toi, tu as reçu beaucoup d'amour, tu as eu la chance de vivre dans une maison aimante.*

Très vite, elle est enceinte, et au troisième mois de grossesse, les méduses hostiles soudain réapparues se jettent sur elle sans crier gare. Elle fait des attaques de panique effroyables dont elle ne sort qu'en se giflant, en se cognant la tête aux murs, en s'aspergeant d'eau glacée.

Elle augmente la cadence des séances de psychothérapie ; elle a peur que sa folie les tue, elle et l'enfant. Et lors d'une séance passée à s'immerger dans cette peur, elle parvient enfin à formuler, *Mon utérus, c'est mon sanctuaire, c'est comme si c'était le seul endroit de moi qui n'ait pas été souillé, qui m'appartienne encore en propre, alors si un petit sexe d'homme flotte là-dedans, c'est fini, je n'ai plus rien à moi, je disparais.*

Elle ne comprend pas d'où vient qu'elle se sente encore si sale, mais les séances l'apaisent, son mari la soutient, ils consultent régulièrement une sage-femme épatante qui pratique l'haptonomie et les bons conseils, et les méduses refluent.

Un soir d'hiver, enceinte de cinq mois, elle passe en coup de vent chez elle. Le téléphone fixe sonne et elle qui ne répond jamais aux démarcheurs de vérandas et de double vitrage, ce jour-là, elle répond.

— *Bonjour, est-ce que je pourrais parler à Adélaïde Bon ?*

— *C'est moi !*

— *Née à Paris le 1ᵉʳ mars 1981 ?*

— *Oui. Pourquoi ?*

— *Bonjour Madame. Capitaine Vidocq.*

Elle éclate de rire.

— *Non, Madame, ce n'est pas une plaisanterie, c'est la Brigade de protection des mineurs.*

— *Oh, excusez-moi, j'ai mal entendu, j'ai cru à une blague de mon mari…*

— *Oui, ce n'est pas grave. Vous avez bien porté plainte en 1990 pour agression sexuelle ?*

— *Euh… oui.*

— *Eh bien je vous appelle pour vous annoncer que nous avons interpellé un suspect dans cette affaire. Je vous recontacterai pour que vous veniez de nouveau déposer plainte.*

Peut-être a-t-il ajouté autre chose, mais c'est tout ce qu'elle a retenu, tout ce qu'elle pouvait contenir. Elle tremble, elle colle son front, ses joues, ses mains à la vitre, elle brûle, elle a envie de rire, de pleurer, de sauter, de s'écrouler. Toutes ces années et la police non plus n'avait pas oublié, toutes ces années et la police ne l'avait pas abandonnée ?

Elle appelle ses parents, son frère, ses deux sœurs, son mari. Elle leur dit qu'on vient de lui faire le plus beau cadeau de Noël de toute sa vie, elle sanglote, elle est tellement heureuse. L'aînée de ses sœurs, *C'est fou comme tu es sensible, c'est une vieille histoire tout de même.*

Voilà vingt ans et quelques qu'ils n'en parlent pas. Elle avait glissé deux fois le mot nouveau, *viol*, dans une conversation en voiture avec ses parents, dans une autre, au restaurant, avec ses sœurs. Cette fois-là, la cadette avait confié qu'adolescente, un grand amour d'été l'avait violée. Elle n'avait rien dit, comment nommer cela, à seize ans, ce qui avait suffi pour qu'en un instant et peut-être à jamais tout s'effondre, l'amour, la confiance, la légèreté ? Quels mots ? Qui pour l'entendre ? Qui pour la croire ? Il lui en avait fallu des années, à elle aussi, pour accoler *viol* au désastre.

Sa sœur, sa sœur chérie. Elles ne s'étaient pas prises dans les bras, elles n'avaient pas osé ; quelques mots en commun ne suffisent pas à défaire des années de pudeur et de solitude. Quand sa sœur avait ajouté qu'un sexologue récemment consulté avait dit *que ce n'était pas de cela qu'elle souffrait*, elle s'était énervée, elle avait rétorqué sèchement que ce sexologue était un incompétent et elle s'était à nouveau tue.

Deux mois après le coup de téléphone, elle a rendez-vous à la Brigade des mineurs pour renouveler sa déposition. Dans un café, elle attend l'amie distraite qui devait l'aider à s'y préparer et qui n'arrivera que pour l'y conduire. Le capitaine a demandé une photo d'elle à neuf ans, alors, dans son sac, elle a deux grands portraits de rentrée des classes. Pour tromper la peur et l'attente, elle sort les photos et les pose, côte à côte, sur la table. Sur la première, quatre mois après, une petite fille malicieuse au regard rieur, le nez constellé de taches de rousseur. Sur la deuxième, seize mois après, une autre petite fille, les yeux éteints, les joues tombantes, le sourire contraint. Ses fossettes ont disparu, elle a grossi, elle a l'air terriblement gentille.

Elle dévisage la petite fille malicieuse. Elle ne la reconnaît pas. Elle caresse la photo du bout des doigts, elle suit l'ovale du visage, elle n'ose pas effleurer les yeux, la bouche. Elle tremble. Cette enfant qui la regarde, une étrangère.

Elle est assise dans le bureau du capitaine, elle s'agrippe à son ventre de femme enceinte, à cette vie nouvelle qui se développe au-dedans, au regard bienveillant du policier, aux détails du bureau, aux accoudoirs, aux parois, elle a peur de glisser. Le capitaine, *Vous avez été victime d'une agression sexuelle dans votre immeuble, de quoi vous rappelez-vous ?* Elle manque d'air.

On est dimanche, c'est la fête de l'école, je suis en CM1, en huitième comme on dit dans mon quartier cossu du seizième arrondissement. C'est une magnifique journée ensoleillée du mois de mai, je porte sur un chemisier blanc à col rond la jolie robe-tablier rouge à petits pois que m'a cousue ma mère, j'ai les jambes et les bras nus, des socquettes à bordure dentelée dans mes sandales blanches.

Le matin, après la messe, j'ai gagné un poisson rouge au chamboule-tout. Je l'ai rapporté triomphalement, le bras haut, dans son sachet gonflé d'eau et de joie. Mon frère, mes deux sœurs, mes parents, tous étaient avec moi, on ne se séparait guère. La semaine, nous sortions accompagnés d'une jeune fille au pair.

L'après-midi, j'ai supplié, je voulais retourner à l'école acheter des paillettes comestibles pour le poisson rouge. Pour une fois (à quoi ça se joue, voyez, que ce soit cette fois-là), pour une fois, Maman, Papa, j'ai neuf ans, je peux y retourner seule, j'ai neuf ans, tout de même.

J'ai obtenu d'y aller et avec les sous restants, je me suis acheté en cachette trois carambars. J'avais un peu honte, j'espérais que le petit Jésus ne viendrait pas me taper sur les doigts.

Sur le chemin du retour, un monsieur me suit et me demande l'heure, je lui montre mes bras nus, je n'ai pas de montre. Il a la voix qui chante, il me dit d'attendre un peu avec lui, je rétorque, *Ma maman m'a interdit de parler aux inconnus,* on est déjà arrivés en bas de mon immeuble, il entre lui aussi, *pour se mettre à l'ombre.* Il me raconte qu'il doit livrer un vélo pour une fille, haute comme ça, haute comme moi, qui habite justement dans mon immeuble. Il est gentil, il est persuasif. Je pense que c'est le petit Jésus qui l'envoie pour me racheter de la filouterie des carambars. Il entre dans l'ascenseur avec moi et appuie sur un bouton. Arrivé, il me saisit par le poignet et me force à sortir avec lui. Il me fait mal. *Montre-moi où la fille habite, tu es gentille,* j'ai peur, je monte marche après marche au-devant de lui, n'osant pas refuser, mais comme au ralenti, déjà. Entre deux paliers, il s'arrête. *Vous faites la même taille, non ?* Oui. *Alors ce serait plus simple que je mesure la taille de la selle sur toi plutôt que de les déranger un dimanche, non ?* Oui. *Il faut soulever ta robe pour que je mesure.* Oui. Ou peut-être déjà là n'ai-je plus rien dit qui soit articulé.

Elle s'efforce de faire récit de la suite, mais les fragments qui restent ne sont pas cohérents, elle ne sait plus qui de lui ou d'elle a soulevé la robe, elle dit, *Il met sa main dans ma culotte,* mais elle se souvient qu'elle n'avait plus de culotte. Quand l'a-t-il baissée ?

Elle dit, *Je me rappelle qu'il avait une ceinture en croco avec une boucle dorée, qu'il l'a desserrée quand il a sorti son sexe de son pantalon,* mais de son sexe, elle ne se rappelle pas.

119

Elle dit, *Il m'a fait prendre son sexe avec ma main, il m'a fait faire des mouvements dessus.* Le capitaine, *Des caresses ?* Non, pas du tout, ce n'est pas cela les caresses. Mais il faut bien se résoudre à dévoyer ce mot faute d'un autre, faute d'un mot qui sache contenir toute la laideur du va-et-vient d'une petite main d'enfant sur le pénis raide d'un adulte.

Elle dit, *Il a mis ses doigts à l'intérieur de moi, je me souviens de son doigt qui remue à l'intérieur.* Elle n'ose pas dire le mot *viol*, elle s'attend à ce que lui, l'homme de police, le dise. Il prend bonne note, il ne dit rien.

Elle dit, *J'étais une marche au-dessus de lui, il se trouvait face à moi.*

Elle dit, *Il y a eu du bruit en bas, quelqu'un est entré dans l'immeuble ou bien c'est la concierge qui est sortie de sa loge. Il s'est arrêté.* Je sais aujourd'hui qu'il n'y a pas eu de bruit en bas. Il ne s'est pas arrêté. Elle s'était inventée cette histoire de bruit, il y a longtemps, pour se protéger de ce qu'il lui a fait, après.

Elle dit, *Il a pris ma main pour l'essuyer sur son pantalon.*

Le capitaine compare son récit avec celui recueilli le jour des faits. Elle avait dit, *Il s'est mis derrière moi,* elle vient de dire l'inverse. *Je ne sais pas. Il a dû changer de position.* Quand ? Elle avait dit, *Il m'a touché mon zizi : devant et derrière.* Derrière ? Elle ne se souvient plus. *Il m'a dit que j'avais de grosses fesses. Il a mis son sexe entre mes deux jambes. J'avais beaucoup peur.* Son sexe à lui entre ses jambes à elle ? Elle ne se souvient plus.

Le capitaine lui demande de le décrire, elle revoit précisément sa chemisette bleu pâle à manches courtes, sa ceinture croco clinquante, son pantalon vaguement rétro de toile grise, mais elle ne se souvient pas de son sexe, de ses mains, de ses yeux, elle ne se souvient pas de son regard posé sur elle, elle ne se souvient pas de l'expression de son visage. L'image est floutée par endroits comme dans les faits divers à la télévision.

Le capitaine lui montre une planche de photos où quatre chauves la regardent. Photos de gardes à vue, prises à hauteur d'homme, les yeux cernés, les lèvres dures. Elle hésite. Elle n'est pas sûre. Vingt-trois années se sont écoulées, le visage dont elle se souvient est comme poinçonné au niveau des yeux, et à neuf ans, elle mesurait à peine un mètre trente, elle le voyait par en dessous, en contre-plongée.

Le capitaine désigne une des quatre faces sinistres ; le monsieur de la cage d'escalier, l'homme du joli mois de mai, celui que les policiers surnomment *l'électricien*, ce serait lui, un visage allongé, un certain Giovanni Costa. Elle hésite. Elle espère.

Les jours qui suivent, elle trouve en ligne quelques articles parus dans la presse au lendemain de son arrestation. *L'homme agit dans les quartiers chic de la capitale, il se présente le plus souvent comme un électricien ayant besoin d'un coup de main pour atteindre un boîtier, une ampoule.*

Elle jette un œil aux commentaires, enfin, aux échanges d'invectives anonymes. Un homme se réjouit, *Bien fait pour ces sales bourges, sûr qu'elles ont dû bien l'allumer ces petites salopes de bourgeoises.* Elle soupire. Elle repense à ce mail cinglant, envoyé quelques mois auparavant par une amie envieuse, *Quelle route difficile que celle de la belle, de la pauvre Adélaïde, née avec une cuillère en argent (ou en or) dans la bouche, et qui malgré tout commence à se plaindre, à râler ! Ta jeunesse n'a pas été si terrible, tout te sourit, c'est bon là, ça va, y en a qui ont des vies plus difficiles tout de même.*

Certes. Si l'argent n'a pas suffi à mon bonheur, il m'a permis toutes ces années de payer un psychothérapeute, il m'a octroyé le temps nécessaire à tâcher d'aller mieux et c'est une chance d'avoir été *une petite salope de bourgeoise.*

Elle a trente-deux ans. Elle prépare l'accouchement aussi bien que possible, avec la sage-femme haptonome et une autre sage-femme, militante féministe, qui anime formidablement le groupe de préparation à l'accouchement. Elle aborde le dernier mois de grossesse quand les crises de panique font un retour fracassant. Plus le terme approche, plus elle s'affole. Elle a peur que les doigts se glissent en elle au moment de la délivrance et s'en prennent à l'enfant.

Un jour, elle appelle la sage-femme féministe en sanglotant après qu'une nouvelle attaque de terreur l'a laissée exsangue, et obtient sans avoir rien à ajouter un rendez-vous pour le lendemain. Alors, la main agrippée à celle de son mari, elle raconte l'homme de mai, les attaques de panique, les doigts, la peur viscérale que l'enfant soit souillé s'il passe par en bas. Elle a peur de la péridurale, peur de ne plus sentir ce bassin qu'elle a mis tant d'années à retrouver, peur de s'absenter à ce moment crucial où son bébé aura tant besoin d'elle, peur que les doigts étouffent le nourrisson. Son mari confie son propre désarroi, son impuissance. La sage-femme les écoute, les rassure, leur explique comme ces angoisses de fin de grossesse sont fréquentes chez les femmes qui ont été victimes de violences sexuelles. Elle lui conseille d'accoucher sans péridurale, pour rester en contact avec l'enfant, avec elle-même, elle leur donne de précieux conseils pour surmonter la douleur. Leur haptonome sera du même avis, elle les entraînera, lui, à la soutenir des mains et du regard, elle, à respirer, à chanter à chaque contraction, à sentir l'enfant en elle, à l'aider à descendre dans la bonne direction.

Lorsque les premières douleurs arrivent, par une magnifique journée ensoleillée du mois de mai, elle est confiante, elle est prête, elle est présente. Sa voix accompagne chaque contraction d'une mélopée sourde et puissante, et les infirmières de la maternité faufilent leurs têtes par la porte entrebâillée pour encourager la femme-bonze.

Pas de trace de l'homme de la cage d'escalier ce jour-là, ce jour merveilleux, ce jour du joli mois de mai, le jour où mon fils est né.

Elle est une jeune maman, une grande étendue de peau duveteuse pour y bercer son tout-petit, d'immenses oreilles aux aguets de son souffle, des crocs de louve pour le protéger des sorcières, des yeux de lynx, des seins énormes et lourds. Dans ce paradis tendre et laiteux, des méduses monstrueuses se dissimulent et s'apprêtent. C'est le début des mois blancs.

Au début de l'automne, la mort s'invite sans frapper chez le psychothérapeute qui la suit depuis onze ans. Ils avaient suspendu les séances quelques mois, le temps qu'elle s'occupe de son nouveau-né, ils allaient reprendre.

Dans un petit cimetière de campagne couronné de champs, elle enterre un ami, un mentor, un père, elle se défait du baudrier pour descendre à flanc de falaise, le long des failles, jusqu'au plus profond des fosses. Il était le seul au monde auprès de qui elle ne craignait rien, le seul à qui elle ait osé décrire quelques méduses, le seul à s'être risqué à ses côtés sur la banquise. Disparu, le cabinet enfoui au fond d'une cour, l'îlot réconfortant où elle reprenait son souffle. Elle dérive et les méduses la ballottent au gré des courants.

Elle s'inscrit à un atelier d'écriture, dans la mezzanine d'une librairie féministe, rue de Charonne. Elle y cherche un port d'attache où décharger un peu du bric-à-brac de phrases qui s'empilent en vain dans sa tête, elle a trop peur d'écrire quand elle est seule.

Au bout de quelques mois, elle constate, penaude, que quelles que soient les consignes et les contraintes, de façon directe ou détournée, elle écrit systématiquement sur l'après-midi du mois de mai de ses neuf ans et sur lui, l'homme de la cage d'escalier.

Un samedi, l'énoncé est de partir d'un incipit anonyme, à choisir parmi plusieurs. Elle n'hésite pas, elle sait tout de suite lequel sera le sien, sans pourtant l'avoir jamais lu auparavant, sans savoir de quelle œuvre il est le seuil, elle le saisit comme on saisit une main tendue au moment de tomber et elle écrit d'une traite, sans s'attarder, sans raturer, sans rien reprendre, ce texte-ci :

« Le matin où j'entrepris ce livre,
je me mis à tousser »
Comme une gangue qui sous la violence d'un premier hoquet commence enfin à se fissurer.

Depuis aussi loin que mes souvenirs me portent, je mets mes mains à ma gorge lorsque je suis émue. Je la palpe, j'y accroche mes doigts et le calme revient, et la tempête s'apaise. Ma gorge-vestibule, sas de décompression entre le dedans et le dehors, qui me permet de composer ce visage amène et souriant, ces yeux rieurs, ces fossettes charmantes, cet « être agréable » en toute circonstance.

Sur les patères de mes cordes vocales, j'accroche la rage, la haine, le dégoût, le mépris de moi et des autres et ma voix adoucie se travestit alors de modulations harmonieuses. Ne pas laisser voir, ne pas laisser entendre. Laisser le tumulte cogner sur mon diaphragme, mes côtes, laisser le blizzard souffler dans mon bassin, ne rien modifier aux griffes plantées dans l'aorte, me détacher de ce tronc abruti et sanglant.

Ma gorge, une échelle de pompier pour fuir le désastre, pour m'éloigner, pour flotter.

Et cependant tous les matins au réveil, ce mauvais goût de sang, cette envie de bâillement féroce, énorme, qui ouvrirait ma gorge aux forceps et me permettrait enfin de te vomir.

Car c'est toi, c'est ta loi qui règne dans mon buste et qui régit ma gorge. Parce que depuis ce jour et ces minutes hors moi, je suis à toi. Ou bien tu es en moi, car je ne sais plus quelle différence ça fait. Je suis ton repas sans cesse servi et de moi ne reste que le contenant, l'outre à laquelle ton fantôme chaque jour s'abreuve. Et sous mon visage figé et souriant, ce qu'il y a de rage dans mon sang, c'est tout ce qu'il me reste de vie. De vie en propre. De vie propre.

Et de l'écrire me fait battre le cœur si fort que j'ai peur qu'en toussant ma gorge ne le laisse s'échapper et se répandre sur le papier.

Et je l'imagine, infecte, livide, gorgé de pus et d'humeurs malignes et j'ai peur qu'il bondisse et parte en promenade, assaille un passant et se force un chemin dans sa gorge et la toux reprend et je me mets à aboyer dans le silence glacé de cet appartement. Ma main s'agrippe aux mots qu'elle trace, car il n'y a qu'écrire sur toi qui me rende la voix, ma voix en propre, ma voix propre. Une fois le livre sous presse, je n'aboierai plus. J'aurai enfin d'autres choses à dire.

C'est son tour de lire, elle hésite et, dans cette hésitation, dans ce minuscule laps de temps qui précède sa décision de lire à haute voix, elle comprend qu'il est temps d'écrire pour être lue. Ce sera le texte fondateur, l'incipit des mots à venir, le premier que je partagerai avec quelques amis, que je lirai à une petite assemblée d'inconnus au dernier jour des ateliers, que j'enverrai, sans succès d'ailleurs, à un concours.

Ce jour-là, c'est la main d'Anaïs Nin que j'ai saisie, et à travers les premiers mots de son premier roman, *La Maison de l'inceste*, certainement m'a-t-elle aidée, dans la mystérieuse sororité qui s'est soudain tissée entre ses mots et les miens.

Depuis le coup de fil du policier, ou est-ce plutôt depuis la naissance de l'enfant miracle, les méduses ont mué et les images sont plus terrifiantes que jamais. Ses jours sont joyeux et pleins, sans prévenir, ils explosent.

Contenir dans des mots l'épouvante. Raconter les mois blancs. Mon fils, mon tant aimé, mon tendre, il les lira peut-être un jour, ces mots. Il aura mal et je ne sais pas si je saurai le réparer, le consoler, le mal de ces mots-là. Ces mots pourtant, je vais les écrire, je me les dois, je les dois à la petite fille qui m'attend sur la banquise, je les dois à toutes les vies de douleur.

au cinéma une scène de viol avec torture,
avoir ses voisins révulsés et le sexe gonflé
dans le bain peau à peau avec son nourrisson,
s'imaginer le masturber
vouloir s'arracher la tête du buste
ou boire la bouteille de Javel

ne plus parvenir à respirer
le petit malade dans le grand lit la nuit
et ses minuscules pieds nus tout près
de son sexe de femme
dans le bain tenter de se noyer
changer la couche du bébé son sexe est tout dur
s'imaginer le lécher avec la langue
vouloir se coudre les paupières
se cramponner à la table à langer
pour ne pas courir enjamber le balcon et sauter
changer la couche du petit bébé
et éviter de regarder son sexe de peur que
changer la couche et chanter, raconter une histoire,
faire des blagues, surtout surtout remplir les interstices
mille fois par jour, serrer les dents très fort,
planter les ongles loin dans la peau
pour que les gros doigts se retirent de son sexe
acheter un vibromasseur en cachette pour s'administrer
des brutalités préventives avant de retrouver l'enfant
éviter de rester seule chez elle éviter de rester seule
avec son petit garçon éviter de penser
éviter de penser éviter de regarder
son petit sexe éviter de trop respirer éviter

être perdue

Rares sont ses jours sans chutes. Quand elle est
seule chez elle, elle sent d'abord les gros doigts en elle
et quelque chose d'autre qui s'apprête et qui la terrifie.

130

Elle suffoque, elle n'arrive plus à respirer, alors vite, en automate, elle met en place ce qui est nécessaire pour que tout s'arrête : aller chercher le vibromasseur, tirer les rideaux, descendre le pantalon, la culotte, taper sur google *vidéo porno viol* (les nouvelles érotiques, ça ne suffit plus depuis longtemps, ce n'est pas assez violent) puis elle s'insulte, elle s'avilit, elle se brutalise. Dans le battement sourd des vaisseaux de sa vulve enflammée, rien n'est bon, rien n'est doux, rien n'est réparateur. Elle regarde l'écran et elle devient la violence de l'homme qui jette une femme à terre et lui maintient la nuque pour qu'elle le suce, elle devient la femme qui contrôle ses haut-le-cœur pour montrer qu'elle aime ça, qu'elle pourrait passer des heures à être ainsi pénétrée, exposée, avilie. Au bout d'un temps qui varie en fonction de la violence des images et de l'intensité de l'angoisse qui a précédé, elle s'arrête, repue, honteuse, le sexe doulou-reux, le cœur en berne. Elle est enfin absente. Elle passe les heures qui suivent entre deux eaux, somnolente, nauséeuse, inquiète.

Il arrive qu'une fois ne suffise pas à la dissoudre assez longtemps, alors elle recommence.

Elle a de plus en plus de difficultés à faire l'amour avec son mari. Il s'emploie comme il peut à la rassurer de tendresses, de mots doux, mais sitôt qu'il s'agit de sexe, chaque seconde redoute la suivante, celle où sou-dain les doigts de l'autre s'immisceront entre ses cuisses et le dégoût, et la terreur. Elle a beau se mordre la langue, se planter les ongles dans la pulpe des doigts, s'accrocher au regard aimant, quand l'autre est là, elle se noie.

Une nuit, ils s'embrassent, ils s'embrasent ; ça explose. Elle le repousse avec une violence telle que la voilà hors du lit, livide, hagarde. L'autre est là, elle sent ses mains partout sur elle et l'odeur écœurante de sa verge, elle tente frénétiquement avec ses petites mains de le décoller de sa peau, de sa bouche, de ses fesses, de son sexe, elle a la nausée, les yeux exorbités, la langue qui cherche à se vomir elle-même.
Cette nuit viendra hanter toutes les nuits d'après.

Elle s'en ouvre en partie, la seule partie dicible, les généralités communes et admises sur les angoisses des femmes victimes, à une amie, qui contacte la docteure Salmona, cette psychiatre renommée dont l'intervention au colloque, il y a quelques années, l'avait tant passionnée.
La psychiatre ne peut la recevoir qu'en été, quand les vacances auront dilué l'embouteillage de sa salle d'attente. En attendant, elle lit son livre, *Le Livre noir des violences sexuelles* :
« *En l'absence de prise en charge et de compréhension des mécanismes à l'origine de la mémoire traumatique, la victime subit ces réminiscences et le plus souvent y adhère comme à des productions psychiques émanant de ses propres processus de pensées, ce qui est particulièrement effrayant.*

Elle va se croire terrorisée, en état de panique, en train de mourir, alors que rien ne la menace.

Elle va se croire soudainement déprimée, n'ayant plus aucun espoir, avec comme seule perspective celle de se suicider et de disparaître, alors que tout se passe bien pour elle et qu'elle aime la vie.

Elle va se croire coupable et avoir honte de ce qu'elle est, elle va se penser comme n'ayant aucune valeur, moche, débile, moins-que-rien, un déchet bon à mettre au rebut, alors qu'elle fait tout au mieux. Elle va se croire monstrueuse, agressive, perverse, capable de faire du mal, alors qu'elle ne cherche qu'à aimer. Elle va croire qu'elle désire des actes sexuels violents et dégradants, alors qu'elle ne rêve que de tendresse. »

Les yeux lui brûlent, sa gorge saigne, elle voudrait hurler sa joie à la lune. Son cœur éclate en mille morceaux dorés. Tout ce grand paragraphe, c'est elle.

« La mémoire traumatique des actes violents et de l'agresseur colonisera la victime et sera à l'origine d'une confusion entre elle et l'agresseur, une confusion responsable de sentiments de honte et de culpabilité, qui seront alimentés par des paroles, des images et des émotions violentes et perverses perçues à tort comme les siennes, alors qu'elles proviennent de l'agresseur.

La mémoire traumatique les hante, les exproprie et les empêche d'être elles-mêmes, pire, leur fait croire qu'elles sont doubles, voire triples : une personne normale (ce qu'elles sont) une moins-que-rien qui a peur de tout, une coupable dont elles ont honte et qui mérite la mort, une

*personne qui pourrait devenir violente et perverse et qu'il
faut sans cesse contrôler, censurer. »*

Le temps d'un viol, le monsieur de l'escalier s'est
immiscé dans les replis de mon cerveau, il a laissé sa
haine et sa perversité macérer dans l'antichambre de
ma mémoire, et jour après jour, elles m'ont dégouliné
au-dedans, elles ont colonisé chacune de mes pensées,
elles ont contaminé ma vie. Une invasion invisible que
nul ne m'a aidée à déceler, à nommer, à comprendre.

Depuis ce dimanche du mois de mai, vingt-quatre
années d'invasions par effraction, à toute heure, à tout
instant. Pensée de boue après pensée de boue, je me suis
retrouvée enterrée tremblante, écrasée sous la haine de
moi-même et la terreur que ça se voie, que ça se sache.
Et aussi et surtout cette pensée-poison depuis la naissance de l'enfant chéri

je pourrais détruire mon propre fils

Non. Ces pensées de boue ne m'appartiennent pas.
C'est à lui, la boue.

Elle vient d'avoir trente-trois ans, elle prend rendez-vous avec une avocate recommandée par l'Association européenne contre les Violences faites aux Femmes au Travail. Elle veut obtenir la requalification de sa plainte, passer d'*attouchement sexuel* à *viol*. Ce mot lui est nécessaire. Elle veut aussi se constituer partie civile pour demander réparation en son nom propre, être tenue au courant de la procédure et pouvoir assister au procès en entier.

Pour accéder au cabinet, elle doit passer deux volées de marches couvertes du même tapis que dans l'escalier de ses parents, le tapis tissé de rouge, de bleu, de vert, d'enfer, ce long tapis qu'on trouve dans tant d'immeubles haussmanniens et qu'elle évite systématiquement quand elle est seule, lui préférant les ascenseurs. Ce jour-là, elle monte à pied et elle écrase vigoureusement le maudit tapis à chacun de ses pas.

L'avocate a la voix douce, la silhouette gracile et décidée, une fossette au nez, le regard vif. De questions en réponses, prise après prise, elle lui ouvre une voie dans les raideurs de la justice, elle explique, *Cette affaire regroupe viols et agressions sexuelles, le procès aura donc lieu en cour d'assises, il appartiendra à trois juges et à six jurés tirés au sort de juger de chacune des infractions*, elle prévient, *Les délais de saisie de cour d'assises sont longs, très longs, il faudra s'armer de patience*, et encordées ensemble désormais, elles dressent une liste de témoignages à récolter et d'actes à produire.

Elle reçoit un premier *Avis à Victime*. Elle lit les noms de trente-quatre autres filles et elle est stupéfaite d'en connaître deux. L'une était au collège avec elle, l'autre, c'est la grande sœur de la meilleure amie de ses neuf ans, sa meilleure amie, à qui elle n'avait rien dit. Les mots manquent, à neuf ans, pour dire ça.

Elle l'aime beaucoup, cette grande sœur. Elles avaient été en option Théâtre une année ensemble, elle en seconde et l'autre en terminale, au cœur d'un petit groupe très soudé. Elle retrouve son numéro, elle l'appelle. Et comme l'eau s'engouffre sitôt que l'écluse se lève, elles se racontent leurs histoires. Il leur a dit les mêmes mots, les mêmes phrases, c'est le même homme, c'est lui, cet homme qui s'appelle peut-être Giovanni Costa. Elle raccroche et, recroquevillée sur le grand lit, elle sanglote.

Une autre petite fille habite sur la banquise. Je ne serai plus jamais seule.

Arrive enfin l'été et la première séance avec la psychiatre. Son cabinet est niché au fond d'une cour arborée où les oiseaux gazouillent et, dans la salle d'attente, les mots *moi aussi* flottent avec tendresse dans certains regards. La psychiatre arrive, elle est désolée d'avoir pris du retard, elle l'entraîne vers un bureau bien encombré, s'assoit, se pose, la regarde.

À elle, elle dira tout. Tout ce que jamais elle n'a osé dire à personne, tout ce dont elle a tellement honte, tout ce qui est si odieux en elle, si fou, si pervers. La psychiatre diagnostique un *état de stress post-traumatique.*

De séance en séance, au fil des explications sur le fonctionnement du cerveau et de la mémoire traumatique, les méduses se muent en symptômes, en conséquences, et l'homme de mai, en pédocriminel sexuel. Elle est soulagée de ne plus avoir à utiliser le mot de l'ennemi, le mot mensonge : *pédophile.*

La première fois qu'elle relate les faits, elle commence par le dimanche ensoleillé, la fête de l'école, le poisson rouge, les carambars et l'homme qui parle gentiment, qui prend l'ascenseur, qui la tire vers l'escalier. À mi-étage, elle s'interrompt, confuse. Il ne lui reste de la suite que quelques fragments dépareillés, toujours les mêmes, où elle les regarde de loin. Puis elle se retrouve en haut des marches. Rhabillée. Quand ? La trame est déchirée. Il y a un accroc à son histoire.

Un mois plus tard, dans le havre du cabinet, elle cherche à se souvenir, elle bascule

je suis dans l'escalier il est là il me regarde
il me dit des mots que je n'entends pas
il me fait des choses que je ne sens pas
il me regarde
ses yeux sont glacés et métalliques
je n'existe pas à l'intérieur d'eux
je n'existe plus
je viens de cesser d'exister

Ce regard-là déborde les mots. Je ne connais rien, rien au monde qui y ressemble, rien qui puisse le contenir, l'exprimer, le décrire. Il n'existe pas de vocabulaire pour ce regard-là.

Ce regard-là, qui était posé sur moi.

Après un nouveau rendez-vous avec l'avocate, elle doit recenser les démarches qu'elle a entreprises pour aller mieux. Elle a gardé les petits agendas papier bible et cuir noir des quatorze dernières années, alors elle entreprend patiemment de relever chaque rendez-vous. Le résultat est effarant : 226 séances de thérapie individuelle, 39 séances de thérapie de groupe, 21 journées de constellations familiales, 146 séances de yoga de la voix, 118 séances de thérapie corporelle, 58 cours de Méthode Feldenkrais, 16 consultations de nutritionniste, 37 séances d'ostéopathie et de méthodes diverses. Elle ne compte ni les stages de théâtre ni les cours de yoga et de pilates, ces milliers d'heures à tenter de ressentir son propre corps, ni les cours de chant ou de trompette à tenter de retrouver son souffle, ni les essais, les témoignages, les livres de développement personnel, les sites Internet, tout ce temps passé à éclairer son infinie tristesse.

J'ai dépensé une fortune d'heures et d'argent pour parvenir jusqu'à aujourd'hui. Si je n'avais pas eu des lieux où déposer les masques année après année, m'autoriser à pleurer, à chercher, à entretenir l'espoir d'une sortie du gouffre, si je n'étais pas *née avec une cuillère en argent dans la bouche*, je serais sans doute morte depuis longtemps. Ou bien je me serais terrée sous une vie feinte, une vie de papier glacé.

Elle prend son courage à pleines mains pour demander à différentes personnes de témoigner par écrit de son parcours, afin qu'un *faisceau d'indices concordants* permette la requalification de sa plainte. Elle s'embrouille d'abord dans des explications timides, elle rougit, mais plus elle en parle, plus elle gagne en confiance et en clarté. Une victoire.

Elle rencontre la sage-femme qui a si bien accompagné la fin tumultueuse de sa grossesse. Elle témoigne sans hésiter, comme le feront une metteuse en scène, son ostéopathe et, avec une sincérité déchirante, son mari.

Elle retourne voir la nutritionniste qui la suivait à la fin de son adolescence. Sur un feuillet bristol retrouvé dans ses archives, la docteure lit qu'elle lui avait diagnostiqué une *hyperphagie boulimique*. J'aurais aimé qu'elle me les dise alors, ces mots, *hyperphagie boulimique*. Ils m'auraient consolée. Ils auraient été mes premiers mots, j'aurais parlé à leur suite et je n'aurais peut-être pas eu à me gaver dix années de plus. J'avais si faim de mots qui soignent.

Elle retrouve sa première praticienne de thérapie corporelle, qui se souvient avec émotion d'elle, de leur travail et de cette séance, de la violence de la remémoration, de ce corps à vif sur la table de soins, de ses mots affreux et ébahis, *il est à l'intérieur de moi il a mis ses doigts dans mon vagin*.

Elle se rend une fin de matinée chez ses parents, dans le même appartement qu'alors. Elle est gênée de demander un témoignage écrit à sa mère, mais l'avocate a insisté, *Peut-être se souvient-elle de la visite chez le pédiatre le lendemain*. Elle le fait par acquit de conscience, elle n'en attend rien.

Sa chambre de petite fille est devenue le bureau de sa mère, et quand elles s'assoient au secrétaire, elle se revoit ce jour-là, hébétée, recroquevillée sur la couette à fleurs, à faire semblant de lire *Sans famille*.

Sa mère commence à parler. Oui, elle se souvient de cette consultation, elle se souvient de l'instant où le pédiatre a écarté les cuisses pour examiner le petit sexe, cet instant suspendu où à la place de la ligne qu'elle connaissait si bien pour l'avoir lavée, langée, soignée, à la place de la ligne, il y avait un espace entre parenthèses. Elle se souvient des mots du pédiatre, *C'est tout à fait anormal*. En silence, sa mère ouvre un tiroir du secrétaire, attrape une feuille vierge, dessine de grandes parenthèses, saisit une règle, mesure l'espace entre chaque signe, *Voilà, c'était comme ça. Il y avait un espace entre 1 cm et 1 cm et demi.* Elle murmure, *C'est une image qui m'est restée, qui m'est restée très fortement. Il y avait quelque chose qui n'allait pas, qui ne collait pas, pas du tout, mais il n'y avait rien d'autre, pas de blessures, pas de bleus.* Un temps. *Tu sais pour moi, le viol, c'était avec un sexe d'homme, avec des coups, avec des cris. Je n'y ai tout bonnement pas pensé. Quand tu m'as confié que c'était ses doigts, ça a enfin donné un sens à cette image.* Cette image, absurde, enfouie dans les replis de sa mémoire, cette image attendait que je vienne la chercher pour se déployer enfin et m'offrir la preuve tangible que je ne fabule pas, que je ne suis pas folle. Toutes ces années à tambouriner aux portes et il aura suffi de deux parenthèses sur une feuille de papier.

Ensuite, nous avons déjeuné toutes les deux à la petite table de la salle à manger qui fait face à la Seine, et pour la première fois, je lui ai livré comme je m'étais isolée, cachée, comme j'avais eu peur d'être découverte, d'être rejetée. Comme j'ai cherché à aller mieux, comme je me suis battue, comme j'ai été seule. Comme ils m'ont manqué. *Pourtant, tu avais l'air heureuse, tu es toujours si souriante, si gaie, tout le monde dit de toi que tu es la joie de vivre incarnée.* Oui, j'aime éperdument ça, la joie, j'ai besoin de joie comme on a besoin d'air, je me jette à son cou chaque fois qu'elle passe. Peut-être faut-il être très malheureux pour être profondément joyeux, peut-être que la joie est l'autre versant des larmes. Elle m'écoutait, cette femme sensible et aimante, et cette femme, soudain, je m'en suis souvenue, c'est Maman, ma Maman perdue et enfin retrouvée.

Plus tard, elle retourne au cabinet du pédiatre qui les a suivis, son frère, ses sœurs et elle. Il exerce encore, il a toujours sa drôle de coupe au bol. Il est attentif et désolé. Il se souvient lui aussi et s'il ne le dit pas, il semble mesurer les errances opaques qui ont découlé pour elle de son absence de mots à lui, de son erreur de diagnostic, ce jour-là, le jour d'après. Il écrit, *Elle ne présentait aucun signe de violence corporelle (ni contusion ni ecchymose). Par contre, au niveau de la vulve, entre les petites lèvres, une béance verticale de 1 à 1,5 cm de hauteur sans saignement, totalement anormale chez un enfant de cet âge, qui pouvait évoquer une rupture de l'hymen. Rétrospectivement, cela peut évoquer une pénétration vaginale par les doigts, ce qui alors pourrait être assimilé à un viol.*

Assimilé à un viol. Entre ma mère et lui s'étendent les ravages du mythe du *vrai* viol, celui avec des cris, des coups et des blessures, celui où un pénis pénètre un vagin, celui commis sur des jeunes femmes habillées légèrement par des inconnus lubriques cachés dans les parkings. Je me souviens de cet ami, horrifié d'apprendre que j'avais été violée petite, et si soulagé quand j'ai précisé que c'était avec des doigts. *Ah d'accord, ce n'est pas vraiment un viol alors, c'est moins grave quand même.*

Pourtant, les viols de très loin les plus fréquents sont ceux commis sur des enfants, sans autre violence physique que celle de la pénétration. Pourtant où qu'elle soit, vaginale, anale, orale, quel qu'en soit le moyen, pénis, doigts, objets, presque toutes les personnes qui ont été victimes de viol dans leur enfance développent des troubles psychotraumatiques chroniques. Avoir subi des violences sexuelles dans l'enfance demeure le déterminant principal de la santé cinquante ans après et peut faire perdre jusqu'à vingt ans d'espérance de vie. Comment se fait-il que dans notre société surinformée ces informations-là circulent si peu ?

Comme son psychothérapeute est mort, sa compagne témoigne des onze années de thérapie en individuel et des trois années en thérapie de groupe.

Comme j'aurais aimé partager avec lui la joie éblouissante de connaître enfin le nom de famille des méduses : *Troubles Psychotraumatiques.* Comme j'aurais aimé lui dire que ces longues années passées à chercher ensemble n'auront pas été vaines, qu'elles m'auront permis de tenir jusque-là et d'attraper au vol la chance inouïe de reprendre enfin le cours de la vie.

La psychothérapeute qui coanimait le groupe de thérapie et les constellations familiales, une femme précise et attentive, par ailleurs sexologue, une femme à qui elle fait profondément confiance, cette femme-là hésite à témoigner. Elle invoque le sacro-saint secret professionnel et il est difficile de la convaincre, de protester qu'on ne lui demande rien d'autre que de relater les faits. Elle finit par accepter, mais elle tait les constellations familiales et réduit onze ans de travail individuel en *depuis plusieurs années*. Je n'ai pas compris, je ne comprends toujours pas pourquoi. Elle me conseille de *penser à l'agresseur et au viol et de demander à cette énergie de partir et d'aller au plus loin de l'univers*, mais je l'ai fait déjà et cela n'a pas suffi.

Elle lit mille fois de suite l'attestation de sa psychiatre. *Les troubles que ma patiente présente sont tous compatibles avec les faits de violences sexuelles qu'elle décrit et ils entrent tous dans le cadre des troubles psychotraumatiques spécifiques chroniques présentés par des victimes de violences sexuelles pendant l'enfance. Ces troubles représentent un handicap majeur et un risque pour sa santé, ils nécessitent des soins psychothérapeutiques réguliers.*
Elle est diagnostiquée, elle souffre de quelque chose qui s'apparente à une maladie et qui peut être soigné et guéri, les méduses sont des symptômes pathognomiques, les méduses sont la preuve médicale de ce qu'il lui a fait.
Je ne suis pas folle, je ne suis pas vile, je ne suis pas faible, je ne suis pas violente. Simplement, un jour de mai, un homme m'a prise et il m'a dévorée.

Un matin, dans la salle d'attente de la psychiatre, une jeune femme spectrale est assise en face d'elle. Ce spectre, elle le reconnaît, c'était elle la veille au soir, elle n'arrivait pas à dormir, elle s'est glissée dans l'eau pleine de jouets d'un bain oublié, elle y est restée assise en boule, à se balancer doucement, le cœur glacé. Elle aimerait entourer cette jeune femme de ses bras et la réchauffer, caresser ses longs cheveux sombres, l'aider à revenir à elle. À regarder son teint livide, ses traits durs, ses yeux vides, elle mesure comme, de son côté, elle va mieux. Malgré les montagnes russes et les fracas fréquents, au détour de ses absences et ses flagellations, l'espoir essaime.

La psychiatre lui conseille de revenir à l'endroit où il l'a violée, dans l'escalier de son enfance. Alors, un jour d'automne, elle ne passe pas voir ses parents, elle ne vient pas les saluer, non, ce jour-là, elle vient gravir l'escalier. Une amie l'accompagne et, pour ne croiser personne, elles descendent par les jardins du Trocadéro et empruntent le chemin qui la menait petite de l'aire de jeux jusque chez elle. Elle parle peu, elle a le cœur lourd. Arrivées dans l'immeuble, *Je ne me souviens plus à quel étage c'était, on va monter, je verrai bien.* Elle gravit les escaliers et d'un coup, entre deux étages, elle s'arrête. *C'est là.* Le petit sachet de papier blanc avec les carambars et la boîte de plastique jaune étaient posés au coin de cette marche-ci, *Il s'est arrêté là, moi j'étais quelques marches au-dessus, juste ici, et après*

ses yeux
ses yeux durs
ses grandes mains d'homme ma robe se lève
ma culotte se baisse
sa main prend la mienne et la frotte
du mou du flasque de l'humide de l'étranger
son autre main entre mes cuisses
sa voix dit des mots affreux
des tu aimes c'est bon tu es gentille
tu aimes ça hein je le sens que tu aimes
et
et

Tout est si confus après ses yeux durs.

Quand il en a eu fini je suis montée. Alors elle monte, quelques marches, elle peine, elle est aussi hébétée qu'alors, elle se concentre, droite, le genou se plie et le mollet se lève puis redescend, gauche, le pied appuie sur la marche, droite, gauche. Un corps automate qui suit des pieds, les siens ? Il suit, un corps soudain subi, soudain ennemi. Un corps tout autre. Et le temps s'étire à mesure qu'elle monte, l'espace se distend et elle sent, elle sait, que quelques marches plus tôt, il en a eu fini d'elle et de sa jolie vie.

Arrivée au palier, elle reste immobile. *Il est là, à mi-étage, à me faire le coup de l'ami, à me faire jurer, à me faire promettre.* Elle prend une grande inspiration et elle y retourne, elle redescend. Avec délicatesse, avec précaution. Arrivée à la maudite marche, elle s'assoit et se serre dans ses propres bras. Longtemps. Tendrement.

Au-dedans du sexe, ça ne brûle plus. Les gros doigts sales ont disparu.

Quelques jours plus tard, au vu des pièces fournies et notamment de l'attestation du pédiatre, la juge d'instruction valide la demande de requalification et ordonne *un réquisitoire supplétif du parquet pour faits de viol commis au préjudice d'Adélaïde Bon.*

Viol. Quatre lettres et dedans, mon billet retour pour la terre natale. On ne sait rien des mots, à neuf ans, à neuf ans, on prend les mots comme ils viennent. Dans l'escalier, ce jour-là, les mots se sont renversés, je n'ai plus su parler qu'à l'envers et ma langue maternelle m'est devenue une langue étrangère. J'ai parlé toutes ces années à tort et à travers, j'ai couru de toute mes forces derrière des mots qui fourchaient sur ma langue, je me suis esquintée à chercher les mots d'aplomb, les mots d'avant, les mots d'enfance.

Les mots dessinent l'horizon de nos pensées, alors quand les mots mentent, quand on remplace *ennemi* par *ami, violence* par *plaisir, viol* par *attouchement, pédocriminel* par *pédophile* et *victime* par *coupable,* l'horizon est une ligne de barbelés qui interdit toute sortie du camp.

Comme elle s'est constituée partie civile, elle se prépare à faire l'objet d'une expertise psychologique. Son avocate lui conseille d'être concrète, de détailler ses symptômes et leurs conséquences sur sa vie, de ne pas oublier que cette expertise va être lue à tous au procès. Sa psychiatre lui recommande de rester sur ses gardes, de se souvenir que ce que confient les victimes est encore trop souvent retourné contre elles, il est si rare qu'un expert soit formé aux spécificités des violences sexuelles et à leurs conséquences. De ne rien livrer de sa vie privée qui ne soit pas en lien avec le viol. De rester évasive sur les symptômes qui risquent d'être sévèrement jugés. De s'efforcer pour une fois de ne rien minimiser.

Au téléphone, alors qu'elle prend rendez-vous, elle demande à l'experte si elle doit apporter des papiers particuliers, comme les attestations médicales qui ont permis la requalification de sa plainte. L'experte répond que non, qu'elle a bien sûr tout le dossier en main.

Le cabinet est meublé avec tant d'opulence que c'en est intimidant, mais l'experte lui sourit. Elle lui lit les différentes questions auxquelles elle doit répondre. Elle l'interroge sur sa famille, les métiers des uns et des autres, son enfance, son adolescence. Elle lui demande si elle a déjà pris de la drogue. Méfiante, *Oui j'ai essayé le cannabis, mais comme ça amplifiait mes idées noires, j'ai vite arrêté.* Elle ne précise pas que vite se compte tout de même en années, elle ne dit rien des autres substances illicites qu'elle a alors englouties. *Des idées noires ? C'est-à-dire ?* Elle s'explique par le premier souvenir qui lui vient, en sixième, quand elle avait fait seule un exposé interminable sur la Shoah.

— *Des membres de votre famille sont morts en camp de concentration ?*

— *Non.*

— *Quel impact a eu la guerre sur votre famille ?*

— *J'ai un grand-père héros de la Libération, mais cette fascination pour les camps de la mort, c'est autre chose, c'est*

L'experte ne l'écoute pas, elle tranche, *C'est en lien avec lui, cet exposé.*

Elle l'interroge sur sa formation, son métier.

— *Comédienne, lectrice à voix haute, animatrice d'ateliers de théâtre et d'écriture pour l'égalité femmes-hommes.*

— *Ah ! Je vois. La théorie du genre ! Enfin, voyons... Croire que les hommes et les femmes sont identiques, c'est vraiment stupide, on le voit bien dès l'enfance, les petits garçons sont turbulents, les petites filles jouent à la poupée.*

Et Adélaïde de rétorquer, fatiguée d'avance, *La théorie du genre, ça n'existe pas. Il n'existe que des études de genre, très diversifiées, souvent passionnantes, où des chercheurs analysent les constructions sociales des sexes, non leur nature.* Elle a trop vu, d'atelier en atelier, le coût humain des stéréotypes sexistes, elle en aurait des expériences à partager sur ces sujets, mais comme l'experte continue à s'écouter aligner les poncifs, elle respire, elle se reprend. Elle ne doit rien dévoiler de son engagement féministe, les experts s'en saisissent souvent pour invalider la parole des victimes. Elle attend.

Plus tard. *Vous êtes belle, encore jeune. Votre seul problème, c'est que vous ne vous aimez pas. Aimez-vous un peu plus !*

— *S'aimer, quand on se sent sale, ce n'est pas si simple.*

— *Mais vous le laissez gagner en pensant ça ! C'est vous qui le laissez gagner ! Il faut vous battre, apprendre à profiter de la vie ! Tenez, tous les jours, essayez de profiter des petits instants de plaisir, la méthode Coué, ça marche ! Vous êtes trop sensible, trop fragile. Et puis qu'est-ce que c'est, un viol ? Quinze minutes de votre vie ? Des doigts dans votre vagin ? Vous savez, autour de vous, il y a beaucoup de gens qui souffrent, à qui il est arrivé des choses vraiment terribles. C'est comme pour les accidents et les comas, on peut s'en sortir très bien ou avoir sa vie bouleversée, ça dépend des natures. Regardez Marie Laforêt, elle s'est bien fait violer, elle aussi !*

Elle fond en larmes. L'experte renchérit, doucement, sur le ton docte que certains usent auprès des petits enfants. *Je vous provoque un peu, c'est pour vous aider. Vous ne devez pas vous laisser aller. Vous me dites que comédienne, c'était un choix par défaut, mais c'est très bien, comédienne. Vous êtes trop cérébrale, le théâtre, c'est une sublimation, c'est excellent pour vous.* Elle se concentre, elle se reprend, elle se calme. Elle ne doit pas lâcher la garde. L'experte réitérera un peu plus tard cette comparaison qu'elle semble trouver particulièrement pertinente entre le viol et les accidents, et cette idée, aussi fausse que répandue, qu'il y aurait des gens qui se sortent mieux que d'autres des violences sexuelles parce qu'ils l'auraient décidé.

Elle raconte les faits. Au moment de l'arrivée dans l'immeuble, *On ne vous avait jamais dit qu'il ne faut pas faire entrer les inconnus ?*

— *Euh, si. Bien sûr. Mais il était très gentil et puis, j'avais neuf ans, je ne savais pas qu'il y avait de si grands méchants.*

L'experte hoche la tête d'un air entendu, *Vous avez eu une enfance trop protégée.*

Quand elle en arrive au moment de l'éclat meurtrier dans les pupilles de l'homme, ce moment précis où elle s'est trouvée dissociée d'elle-même, une terreur brutale la transperce soudain de mille clous, sa bouche s'ouvre, aucun son n'en sort et à la voir ainsi, livide, tétanisée, l'experte panique. *Ah non, non, non, ce n'est pas l'endroit, ah non, ce n'est pas le moment, il faut vous reprendre, vous m'entendez, il faut passer à autre chose, à la suite du récit.* Elle fait un effort dément pour revenir pour happer un peu d'air pour décrisper ses mâchoires, elle parvient à se lever, à reprendre son souffle, à faire quelques pas, elle s'excuse, elle se rassoit. L'experte cite La Rochefoucauld, « *Le soleil ni la mort ne se peuvent regarder en face* », et analyse, *Vous avez vu votre mort, c'est pour ça que vous êtes angoissée, c'est cela qui est difficile pour vous, pas le viol. Il faut absolument que vous travailliez avec votre psychiatre sur vos angoisses de mort. Lui, ce n'est pas un tueur, il ne vous aurait pas tuée, mais vous, vous avez cru ça.*

L'experte lui demande de lister ses points forts et ses points faibles, puis elle lui donne deux questionnaires aux questions alambiquées et intrusives. On y attend quelque chose d'elle sans qu'elle sache quoi, elle doit jouer à un jeu dont elle n'a pas les règles, un jeu où la souris, c'est elle.

Pour finir, elle doit raconter ce qu'elle distingue dans de grandes taches d'encre. Arrivée à la dernière, tandis qu'elle décrit un bassin mort mais qui donne encore la vie, *Ah et bien je suis soulagée, tout ce que vous m'avez dit avant était tellement affreux ! Je suis contente qu'on finisse sur quelque chose d'un peu positif.*

Et alors qu'elle est debout à enfiler sa veste, *Bon, pour la confrontation, pas de problème, hein ?* Elle se fige. *Une confrontation avec Giovanni Costa ?* L'autre acquiesce.

— *Euh si si bien sûr que si, ça me pose un problème, je ne veux pas le rencontrer en face à face.*

— *Mais, enfin, vous ne serez pas seule, il y aura les avocats, c'est comme au procès, aucune différence pour vous.*

— *Non. Non, vraiment non. Ce n'est pas la même chose, c'est en petit comité, on sera face à face, non, je ne veux pas qu'il regarde au fond de mes yeux, j'ai peur, je n'ai pas confiance.*

L'experte soupire.

Dans le couloir, alors qu'elle l'accompagne vers la sortie, *L'affaire sera sans doute correctionnalisée, ce serait beaucoup mieux pour vous qu'il soit jugé par des juges professionnels, au tribunal correctionnel. La procédure sera plus rapide et moins douloureuse.*

Elle, faussement naïve, elle sait bien qu'on ne disqualifie les viols que pour désencombrer les cours d'assises, *Je croyais que les viols ce n'était qu'aux assises ?*

— *Oui, effectivement, ce ne sera plus un viol, mais ce sera tout de même beaucoup mieux pour vous.*

— *Mais c'est important pour moi que ce que j'ai subi soit nommé. Vous n'avez pas lu dans le dossier que j'ai obtenu que ma plainte initiale pour agression sexuelle soit requalifiée en viol ? Que le suspect est soupçonné d'avoir agressé et violé a minima des dizaines de petites filles, vous ne savez pas qu'il y a son ADN pour quatre d'entre elles ?*

L'experte hausse les sourcils et siffle, *Les assises, ce sera très dur pour vous. Je vous souhaite bien du courage.* Elle la congédie d'une poignée de main glacée.

Suivent deux semaines d'insomnies, de cauchemars, de boulimie, de pensées attentatoires, deux semaines à se sentir à nouveau bonne à rien, deux semaines blanches.

Plus tard, lorsqu'elle s'en ouvre à l'avocate, celle-ci tombe des nues. Elle vient justement de recevoir la copie de l'expertise et, pour une fois, elle lui paraît juste. L'experte conclut que *les réactions sont caractéristiques des victimes d'agressions sexuelles : peur pour sa vie, dissociation péritraumatique et blocage sexuel,* qu'elle *présente encore une forte anxiété et un état de stress encore sévère, ainsi que des angoisses de mort.* Qu'en aurait-il été si, à son habitude, elle avait minimisé, banalisé, forcé son sourire et son entrain, si elle avait fait de l'humour pour éviter de parler ?

Après les vacances de Noël, elle a rendez-vous avec la juge d'instruction pour une audition de partie civile qui déterminera sa participation ou non au procès. Le mode opératoire a été un peu différent avec elle. Il lui a parlé de vélo, pas d'électricité. Elle est la seule à s'être souvenue de l'avoir masturbé. Alors la juge hésite. Fragiliser l'accusation avec un témoignage légèrement dissemblable ou retirer cette plainte ?

Elle longe timidement les dédales de couloirs du Palais de Justice de Paris, ses gendarmes en faction, ses huissiers pressés, ses avocates haut perchées, ses prévenus menottés, elle entre dans le cabinet de la juge ; d'immenses plantes vertes et des piles de dossiers, partout, sur toutes les tables, avec sur chaque tranche, cinq lettres : COSTA.

Elle doit relater les faits. Elle est plus précise, grâce au travail de remémoration qu'elle mène avec sa psychiatre, mais il y a encore tant de questions auxquelles elle est incapable de répondre. Qui a soulevé la robe ? Qui a descendu la culotte ? Tout est tellement flou après son regard froid. A-t-il baissé son pantalon ou a-t-il sorti son pénis par la braguette ouverte ? Pourquoi ne s'en souvient-elle pas, de son pénis, elle qui revoit si précisément la ceinture en crocodile à boucle dorée ? Et que s'est-il passé ensuite ? À quel moment a-t-il introduit les doigts dans son vagin ? Que s'est-il passé avant qu'elle hoche la tête à la rambarde de l'escalier ? En quel laps de temps ?

La juge lui demande quelles conséquences les faits ont eues sur sa vie. Elle énumère quelques méduses, mais elle n'a pas de mots pour raconter ce que c'est, ce que ça vous fait, année après année, vivre à l'envers. Ne rien confier à ses parents, à ses frère et sœurs, à ses amies. Se couper des autres. Sourire. Dissimuler. S'épuiser. Passer chaque journée en dehors de soi. Se vivre déportée, sans que nul le sache.

Au printemps, le parquet rend ses conclusions. Trente-cinq dossiers de victimes, dont le sien, ont été retenus pour l'accusation. Le sien, parce que, à la juge d'instruction, elle a reparlé de la ceinture croco à boucle dorée, une ceinture *évoquée par d'autres victimes de la procédure*. Il s'en est fallu d'un détail.

Malgré le travail colossal des deux juges d'instruction, trente-sept autres plaintes au mode opératoire similaire tombent sous le couperet de la prescription et sont mises à la fosse.

Elle sera donc aux assises face à Giovanni Costa, dont elle apprend qu'il est italien, septuagénaire, sans domicile fixe, cambrioleur habitué des geôles et, sans doute, violeur en série de petites filles des beaux quartiers. Ne manque que la forêt profonde, les bottes de sept lieues, le coutelas encore poisseux ; et la fée scintillante qui passait là par hasard et qui m'a donné un coup de baguette sur la tête.

J'ai une chance inouïe. Petite, mes parents m'ont écoutée et accompagnée au commissariat pour porter plainte. J'ai eu les moyens affectifs et financiers de me battre pendant presque trente ans. J'ai été introduite à la pensée féministe et à un réseau de femmes solidaires. J'ai fini par être diagnostiquée et accompagnée vers la remémoration par une psychiatre formidablement compétente et empathique. De toute ma tendre enfance, je n'ai croisé la violence qu'une seule fois et, plus de vingt ans après, un homme a été arrêté et mis en examen. Ma plainte n'a été ni classée sans suite, ni prescrite. J'ai eu accès à une avocate bienveillante et formée à la spécificité des violences sexuelles, qui m'a solidement soutenue pour demander la requalification de ma plainte et me porter partie civile. J'étais une petite fille blanche d'un quartier cossu, je serai crue, je ne serai ni poursuivie pour dénonciation calomnieuse ni jugée pour ce que je portais ce jour-là. Giovanni Costa est un malfaiteur immigré, il n'est ni chef de famille ni notable, il n'aura pas de pairs pour le protéger, il sera certainement condamné. Il sera désigné comme monstre à la vindicte publique.

D'ordinaire, il n'y a ni ogre ni fée et les pédocriminels sexuels sont des gens charmants. Des membres de notre famille, nos meilleurs amis, nos voisins, nos professeurs, nos idoles, nos élites. Ils sont si convaincants dans leurs rôles d'honnêtes hommes, de mères idéales, de professionnels dévoués. En France, où près d'un enfant sur cinq est victime de violences sexuelles, rares

159

sont ceux qui seront écoutés et soignés, encore plus rares sont les agresseurs qui seront condamnés par la justice. Voilà tant de siècles que notre civilisation prend appui sur la culture du viol, la domination masculine et la maltraitance des enfants. Parmi nos ancêtres, combien d'enfants battus, combien d'enfants incestués, combien de filles mariées de force, combien de femmes violées soir après soir dans les secrets sales du devoir conjugal ? Combien de maris, combien de pères, qui se sont arrogé le droit de passer leurs nerfs à coups de trique ? L'humanité tout entière est un enfant du viol, un enfant transi, sur la banquise, qui nous attend.

Un dimanche ensoleillé, au square, elle est assise avec son frère. Ils regardent leurs enfants jouer, elle a le cœur qui déborde des mots qu'elle n'a jamais pu dire, *Grand frère, j'étais si malheureuse, je ne comprenais pas pourquoi, je vous en ai voulu, à tous, je vous en ai voulu et j'ai voulu vous blesser, j'ai voulu casser le cadre de la jolie photo de famille, j'ai voulu écorner vos sourires, mais aujourd'hui j'ai compris, j'ai mis le temps, mais j'ai compris, ce n'était pas vous, c'était lui, et aujourd'hui, tout est de nouveau possible, peut-être vais-je avoir une vie nouvelle, une vie en entier, une vie choisie, grand frère, dans mes saillies, mes méchancetés, mes colères, dans mes absences, je n'ai jamais cessé, toujours, je vous ai aimés.* Ces mots, elle les écrit sur des serviettes en papier, des carnets, des pages de garde, et elle s'aperçoit que ces notes éparses se mettent à tisser une trame grossière, une trame dont elle se prend à rêver, *Un livre ?* Elle écrit au dos de chaque heure libre, elle profite des trajets, des siestes de l'enfant, des soirées calmes, elle lit des témoignages de vies en miettes,

161

des études et des essais sur les violences sexuelles, elle s'encourage, elle prend des notes, elle balise ses lectures de jolies marques multicolores, elle s'éloigne peu à peu du rivage et travaille, au creux des vagues, à distinguer les méduses des sacs plastique. Certaines heures, les méduses s'agitent jusqu'à l'envahir tout entière de foutre et de larmes, ces heures-là, elle n'arrive à rien, elle sait qu'elle ne doit pas rester seule, alors elle dérive de rue en rue, puis sur les bons conseils de Virginia Woolf, elle s'autorise enfin une chambre à elle, une table dans un bureau où travaillent des amis. Elle s'y découvre efficace, à rédiger en quelques heures les bilans d'ateliers qui auparavant lui auraient pris deux jours, elle qui n'a plus de temps à perdre, elle qui aimerait, à trente-quatre ans, prendre le temps d'écrire.

Encouragée par sa psychiatre, elle publie un premier texte sur un site Internet dédié à la lutte contre les violences sexuelles. Elle n'ose pas signer. Elle y relate son expérience de ce que les psychotraumatologues nomment la *colonisation* ; les images odieuses, les pensées violentes et perverses qui surgissent par effraction, les gestes hideux. Elle raconte les heures blanches, les heures maudites, celles dont les victimes se sentent si coupables qu'elles n'en parlent jamais.

Après beaucoup d'hésitations et de demi-tours, elle fait lire le texte à son mari, et sa main tremblante trouve la sienne, confiante.

Quelques jours après le solstice d'été, elle arrive découragée à sa séance avec la psychiatre. La veille, la cohorte grimaçante des vieux démons lui est à nouveau entrée au cœur sans prévenir et l'a laissée saccagée et à genoux, toute fumante de leurs déjections. La psychiatre l'écoute et lui reparle des amnésies traumatiques si fréquentes chez les enfants violés. *Peut-être y a-t-il eu autre chose que ses doigts en toi, peut-être y a-t-il encore de la mémoire traumatique piégée dans cette petite structure de ton cerveau qui s'appelle l'amygdale cérébrale ?* Elle l'entend parler, mais elle n'arrive pas à suivre, elle a tellement mal aux mâchoires

un remugle moisi la prend au nez
lui envahit la bouche la gorge
la jette à quatre pattes sur la moquette
vomissant expectorant dégueulant
sa bite
sa bite sur mes lèvres sa bite dans ma bouche
dans ma gorge
sa bite

Il a regardé dans mes yeux d'enfance nue puis il a enfoncé sa verge dans mon pauvre sourire et jusque dans ma gorge. Il m'a asphyxiée avec son sexe. Les mâchoires douloureuses, les quintes de toux, la sensation soudaine d'étouffer, la détestation des fellations et de l'odeur des verges, les envies de meurtre quand un homme m'appuie le haut du crâne pour forcer ma bouche autour de son sexe, les angoisses brutales lorsque je me fais vomir, les images hideuses après la naissance de mon petit, tout fait sens soudain, chaque élément trouve une place et moi ma place aussi dans ce monde qui se redresse peu à peu, ou bien c'est moi soudain qui m'y tiens à l'endroit.

Quelques minutes, où son gros sexe force l'entrée de ma bouche minuscule, quelques minutes retrouvées, et avec elles, la pleine possession de mon passé, le présent cohérent et l'avenir possible. C'en est fini de piétiner.

Au début de l'été, à la campagne, dans l'air chaud et saturé de vert, assises à l'ombre sur deux petits tabourets de bois, ma mère et moi cueillons cassis et groseilles. Je n'ai rien prévu, rien prémédité, quand, au milieu d'une phrase banale et quotidienne, se glissent ces mots, *Maman, il a aussi mis son sexe dans ma bouche.* Ces mots, je les prononce comme s'ils ne m'appartenaient pas, comme si je parlais du temps qui passe, d'une guerre dans un pays lointain, et elle, elle les reçoit, elle hoche la tête, elle murmure, *Ma chérie,* et nos mains qui vont, qui viennent, nos doigts qui saisissent délicatement les baies rouges et les baies noires, nos mains qui ne se sont pas arrêtées, qui continuent, et nous parlons d'autre chose.

Au soir d'une belle journée d'automne, à quelques rues du restaurant où je dîne avec mon mari, on assassine.

Dans les journaux, le passé monotone des terroristes forme un contraste hideux avec les vies fertiles et chargées de promesses de chacune des victimes, vivantes et mortes. Rien ne pousse dans la haine sinon la haine elle-même. Je pleure, je tremble, je crie, je lis et j'espère. Le nombre conséquent d'articles sur les troubles psychotraumatiques des survivants et sur le déficit inouï de psychotraumatologues en France fera peut-être naître quelques vocations, s'interroger quelques magistrats, se former quelques médecins ?

Alors, comme on peut mourir demain et que la vie file, je me mets à ma table. Je relis mes carnets bleu ciel, mes carnets bleu marine, mes carnets rouges et mes carnets de voyage. Ils sont ma corde pour descendre dans les eaux profondes, là où les petits brouillards quotidiens, les apnées, les boules, les fêlures, la gorge qui se serre et l'envie qui s'enfuit, là où l'armée innombrable des ombres minuscules me laisseront te dire, t'écrire, te décrire, toi et les méduses, toi dont je ne suis pas sûre encore du nom ni du visage. Mais ton odeur, oui, entre mille. Et quand bien même j'aurais le nez qui coule et qui refuse, je sens si fort en bas, dans le bas, tout en bas, là-bas, quand tu es là.

Un matin, au bureau, on discute. La conversation sautille tandis que nous sirotons nos cafés et je parle d'un sujet qui me tient à cœur, l'imprescriptibilité nécessaire des crimes sexuels, crimes de masses, crimes impunis, crimes à effets retards. Au passage, j'évoque la mémoire et les amnésies traumatiques. *Ça marche comment, la mémoire traumatique ?* Et moi qui aime cela, expliquer, moi qui n'ai de cesse de partager avec d'autres mes épiphanies, je m'élance : *Eh bien, si on garde en tête trois des structures du cerveau, l'amygdale cérébrale, le cortex préfrontal et l'hippocampe, c'est assez simple.* J'attrape un feutre et je dessine, sur le grand tableau blanc, une petite amande, *Ça c'est l'amygdale cérébrale,* un gros ovale, *ça c'est le cortex préfrontal,* et un cheval de mer, *et ça, c'est l'hippocampe.*

S'il vous arrive quelque chose de grave, l'amygdale va sonner l'alarme la première et vous permettre de réagir immédiatement. Imaginons un accident de voiture, BAM. Le moteur est en feu, votre amygdale va demander au corps de sécréter de l'adrénaline et toutes les autres drogues endogènes nécessaires pour que vous puissiez, disons, sortir du véhicule, courir cinquante mètres, vous asseoir.

Une fois en sécurité, le cortex préfrontal aura eu le temps d'analyser la situation, l'hippocampe l'aura comparée avec sa banque de données et les deux viendront ainsi moduler, affiner, voire éteindre la réponse émotionnelle de l'amygdale. Je dessine deux traits qui les relient à elle. *Vous allez alors réaliser que vos côtes vous font horriblement mal et que si vous voyez rouge, c'est que votre arcade sourcilière dégouline de sang. Vous allez penser à vous allonger, à appuyer d'une main sur la plaie, à sortir votre téléphone de l'autre pour appeler le 18, et votre hippocampe vous permettra même de préciser aux pompiers où vous êtes. Puis, jour après jour, ce souvenir va être classé dans votre mémoire autobiographique par l'hippocampe, il deviendra une de ces histoires frémissantes qu'on raconte aux dîners.*

Par contre, si vous êtes victime de viol, si vous êtes en présence de quelqu'un qui a l'intention de vous détruire, de vous annihiler, de vous réduire à un objet, le cortex préfrontal va chercher en vain, il ne parviendra pas à analyser la situation. Vous n'êtes pas un objet, cette scène n'a aucun sens. Et l'hippocampe aura beau mettre à sac ses archives, lui non plus ne trouvera pas de réponse adaptée à la haine qui lui fait face. Alors, comme il ne peut ni moduler ni éteindre l'amygdale, le cortex préfrontal va au moins vous éviter de mourir d'une overdose d'adrénaline et autres drogues endogènes. Comme le survoltage de l'amygdale représente un risque vital pour votre organisme, il va faire disjoncter le circuit afin de déconnecter l'amygdale. J'efface les traits qui les relient, j'isole l'amygdale cérébrale d'une barre définitive.

L'amygdale va continuer à sonner l'alarme, à enregistrer tout ce qu'il se passe, votre terreur, votre douleur, sa violence, sa haine, sa perversité, mais votre maison est vide, votre cortex est au chômage, vous êtes comme à quelques pas, spectateur indolent, dissocié de vous-même. Le traumatisme se poursuit, mais vous ne ressentez plus d'émotions, plus de souffrance physique, plus de souffrance psychique. L'hippocampe ne reçoit plus non plus les informations nécessaires, il ne peut ni classer cet événement dans votre mémoire autobiographique, ni permettre le repérage temporo-spatial. Vous ne vous souviendrez plus consciemment de tout ou partie de ce jour-là, les souvenirs qui vous en resteront seront confus, désordonnés, comme irréels.

Vos émotions et celles de l'agresseur vont alors se retrouver piégées ensemble, telles quelles, dans la mémoire traumatique de votre amygdale, une mémoire sans logique, sans repères, une mémoire émotionnelle brute.

Plus tard, lorsque vous irez mieux, il suffira d'une odeur, d'un bruit, d'un mot, de l'un des mille et un fragments enfouis de cette scène, l'un des mille et un détonateurs, pour que cette mémoire explose et vous envahisse de pensées de haine et de terreur. Vous n'allez pas comprendre d'où viennent ces images, cette violence, ces gestes horribles que vous vous infligez. Vous allez chercher à ne plus souffrir, à ne rien ressentir. Vous trouverez de mauvais refuges dans la boulimie, l'anorexie, la masturbation compulsive, la sexualité violente, la pornographie, les drogues, l'automutilation, le goût du risque, que sais-je, vous trouverez refuge dans des conduites dissociantes. Ainsi, vous augmenterez votre niveau de stress afin de sécréter suffisamment de drogues dures endogènes pour vous anesthésier.

Ou bien, plutôt que de vous détruire, vous allez choisir de détruire les autres, vous allez préférer l'efficacité redoutable de la haine pour vous dissocier. À votre tour, vous allez devenir tortionnaire, vous allez vous anesthésier en perpétuant des horreurs similaires à celles que vous avez vécues, en trahissant chaque fois un peu plus l'enfant victime que vous avez été, en vous soûlant de toute-puissance, de haine agie et de mensonges pour ne pas avoir à affronter votre désespoir.

Les agresseurs sont des lâches. Je ne comprends pas notre fascination pour les coupables. Plutôt que d'écrire des romans, des séries, des émissions à sensation sur le parcours des criminels, plutôt que d'en faire des monstres pour nous rassurer sur notre propre humanité, on devrait élever des statues à chaque pas de porte, écrire des biographies, des scénarios, faire des cortèges, des chansons, des fêtes, des jours fériés pour célébrer le courage de centaines de millions de victimes que personne n'a jamais écoutées et qui chaque soir parviennent encore vivantes au terme de leur journée, abandonnées, abattues et si terriblement seules.

Le procès prendra place au début du printemps. Une saison encore à attendre, assise sur le coin nu d'une marche, une dernière saison, un dernier hiver.

Séance après séance, solidement arrimée à ma psychiatre, j'avance vers un mot inattendu, la guérison. J'apporte au cabinet les instants flous et les moments de pénombre ; mes ombres sont des balises, elles sont le signe d'une mémoire enfouie, d'une mémoire à exhumer, d'une mémoire à désamorcer.

Ma conviction d'être toujours celle qu'on choisit par dépit, à défaut.

— *L'autre petite fille de ton immeuble, celle dont il t'a parlé, elle allait bien ?*

— *On se connaissait peu, elle n'était pas bavarde, mais je me souviens que sa mère avait un drôle d'air et que son père m'intimidait.*

— *Son père était peut-être violent. Ton agresseur avait*

choisi cette fille avec soin. C'est plus rapide, moins dange-
reux et même moins fatigant d'agresser une personne qui a
déjà subi des violences. Une victime qui n'a pas été soignée
se dissocie presque instantanément, les agresseurs savent les
repérer, ils savent qu'elles ne se débattront pas, et qu'en-
suite, elles ne pourront rien dire. Que tu ailles bien, que
tu vives dans une famille soudée et aimante où les violences
conjugales et éducatives n'avaient pas cours, lui a demandé
plus d'efforts pour te dissocier. C'est certainement pour
cette raison qu'il est allé si loin avec toi. Pour garantir son
impunité.

— Alors après, moi aussi j'étais une proie plus facile
que d'autres ? C'est pour cette raison que j'attire tous les
pervers à la ronde ?

— Oui. Malheureusement, le principal facteur de
risque de subir des violences est d'en avoir déjà subi. Mais
tu es en train de guérir.

La douleur fulgurante dans les mâchoires sitôt que je
mange par plaisir.

sa voix à lui, enfouie, telle quelle,
sous son sale sexe dans ma bouche
Tu aimes ça, hein, tu es gourmande, toi.

Ma répulsion sitôt qu'un amoureux m'effleure l'anus.
ses doigts pressés
ses gros doigts d'homme qui écartent mes fesses
mon corps raide
ses doigts qui s'énervent ses doigts qui forcent

Pas un orifice que tu n'auras souillé. Le mot *viol sur mineur* ne te suffisait pas, tu voulais être certain que je ne parlerai pas, tu as convoqué le peloton d'exécution au grand complet, *par pénétrations vaginale, buccale et anale.*

De séance en séance, les murs s'écartent et je découvre comme aimer est immense quand on se méfie moins de soi. Certes, ma vigie est encore d'astreinte et chaque fois que j'étreins mon petit garçon, que je le change, que je le lave, je vérifie méthodiquement chacune de mes pensées, mais rien de sale ne trouble plus l'eau limpide, les images affreuses ne viennent plus défigurer mes rires, mes baisers, mes tendresses.

Dès que je peux, j'écris. Souvent, attelée à ma table, je travaille et le sol soudain se creuse, je tangue, je me recroqueville sur ma chaise. Quand le fracas s'éloigne, encore abasourdie par le déferlement de la lame, je masse doucement la peau tendre sous le poignet gauche, rouge et mouillée de salive, marquée des petits rectangles réguliers qu'y ont laissés mes dents. Nul ne m'a entendue hurler, j'ai la terreur discrète, mais désormais, même au plus fort de la houle, mes yeux sont grands ouverts et, sous l'écume, des formes s'ébauchent, quelques méduses immenses et majestueuses s'approchent, elles me tendent leurs filaments soyeux afin que je les tresse. Alors, je suis

Méduse, petite fille de la Terre et de l'Océan, violée par Poséidon dans le secret d'un temple, je suis l'innocence profanée jugée coupable et condamnée à voir mes longs cheveux transformés en serpents, je suis celle dont on raconte que le regard pétrifie qui me croise, je suis la femme sauvage contrainte à se cacher dans une grotte humide, je suis celle à qui l'on coupe la tête quand elle dort, celle dont la dépouille mutilée terrifie les armées, je suis ce qu'il reste d'une femme après qu'on l'a violée. Et de l'écrire me renoue, me relie, me répare.

Deux mois avant que le procès ait lieu, je renâcle à me rendre au cabinet de mon avocate pour y lire l'*Ordonnance aux fins de requalifications, de non-lieux partiels et de mise en accusation.* Je finis par m'y tirer par la peau du cou.

D'abord, un résumé de l'enquête et de l'instruction puis, pour chaque victime, les faits connus. Au bout de deux, trois, quatre, cinq histoires terribles et similaires, je n'arrive plus à lire, je vois flou, j'ai le vertige, alors je m'accroche aux noms des rues de mon enfance. La rue de mon école, rue de la Pompe ; celle de mon collège, rue de la Tour ; celle de mon pédiatre, boulevard Émile-Augier ; celle du stade, boulevard Lannes ; celles où habitaient mes copines, rue Raynouard, avenue Victor-Hugo, boulevard Flandrin, rue Eugène-Manuel ; celles que j'empruntais souvent et certaines tous les jours de classe, rue Scheffer, rue Chernovitz, rue Louis-David, rue Lekain, rue Vineuse, avenue Raymond-Poincaré ; celles près du bureau de ma mère, rue Saint-Simon, rue du Bac ; celles où je jouais parfois, square Lamartine, parc Monceau.

Tu avais tes habitudes, tu connaissais les cours d'immeuble, les escaliers de service, les étages tranquilles, année après année, tu es venu dans les mêmes rues des mêmes quartiers. De nombreuses victimes ont témoigné t'avoir recroisé quelques jours, quelques mois plus tard. L'une d'elles t'a revu deux ans après dans la cour intérieure de son immeuble, tu l'as aperçue, tu lui as fait un signe de la main. Tu étais si sûr de toi. Quelques mères attentives ont eu beau appeler le commissariat chaque fois qu'elles retrouvaient leur fille tétanisée de t'avoir de nouveau croisé, les policiers arrivaient trop tard.

Un an après que tu m'as violée, je rentrais à la maison et rue Scheffer, du trottoir d'en face, un homme m'a interpellée. Sa femme était enceinte, il avait besoin d'aide pour monter des sacs en haut de l'escalier de service. Le cœur glacé, le corps automate, je n'ai pas répondu, je n'ai pas tourné la tête, je n'ai pas regardé l'homme, je me suis concentrée, gauche, droite, j'ai continué à marcher, gauche, droite, j'ai fait celle qui n'avait pas entendu, je ne voulais pas de ces mots, ces mots n'étaient pas pour moi, gauche, droite, il y avait erreur. Cet homme, c'était toi, Giovanni, n'est-ce pas ?

Le procès a lieu dans trois semaines et mon visage pneumatique est à nouveau celui du temps des frénésies gloutonnières. Sept kilos de plus en quelques mois.

Un soir, je vais voir une pièce dans laquelle joue une amie, j'arrive en avance et je bois un verre de rouge dans le foyer du théâtre, bondé. À quelques pas, une actrice que j'ai connue à l'ESAD, à vingt ans. Elle est radieuse, elle porte avec élégance une grande écharpe bleu marine et de jolies bottines brunes. Je me dissimule derrière un poteau, je sens trop la mort ce soir-là, je n'ai pas la force de prétendre, de sourire, de répondre aux *Ça va ?*, aux *Et toi, qu'est-ce que tu fais en ce moment ? Tu joues ?*

J'aimerais ne plus paniquer quand je croise un visage connu et amical, ne plus baisser les yeux, ne plus mimer n'avoir rien vu. Nul ne devine comme je dois me hisser pour pouvoir parler, comme certains jours j'en suis incapable. Je me sens encore si peu digne d'eux tous. Toutes ces années régies par la honte, par l'évitement, par la défiance, j'ai manqué tant d'occasions, j'ai avorté tant de rencontres et censuré tant de désirs que si j'y mettais chaque fois des petites croix blanches, ma vie serait semblable à un grand cimetière militaire.

La pièce commence, je suis assise au premier rang, les acteurs sont formidables et soudain une femme s'élance, elle danse, son corps brûle et mon cœur pèse, j'ai le visage trempé de larmes, je me recroqueville sur mon siège.

À la fin du spectacle, je suis heureuse de cette belle aventure théâtrale qui s'ouvre à mon amie et, comme souvent, la joie m'emporte vers les autres ; j'ose saluer cette femme entrevue avant le spectacle. Elle s'exclame, sincère, *Adélaïde, tu es toujours aussi belle !* Quel gouffre. J'habite si peu dans le visage qu'elle voit. Je rougis, je la remercie, j'essaye de prendre le compliment.

Un jour de mai, mes yeux qui n'avaient presque rien vu ont regardé, impuissants, le visage d'un homme se tordre, se déformer, se vider de toute son humanité. Ce jour-là, j'ai enregistré au tréfonds de mon âme la Laideur, l'Abject, le Mal. Plus de Mal que je ne pourrai jamais le comprendre. Ça a duré longtemps, n'est-ce pas, Giovanni ? Ton visage est encore tapi en moi, c'est lui que je devine chaque jour sous mes traits fatigués, ma cellulite et mon ventre flasque.

Dans quelques semaines, tu seras là. J'espère que te revoir expulsera de moi le visage de ce jour-là. J'espère que je pourrai enfin te rendre tes traits et cesser de les confondre avec les miens.

Le procès commence dans deux semaines et doit durer huit jours. Je ne sais pas si mon père, si mes frère et sœurs le savent. Je l'ai glissé deux ou trois fois à ma mère. C'est presque toujours moi qui en parle, et si peu. Ils ne savent pas ce qui s'est passé dans notre escalier ce jour-là. Ils m'ont entendue dire que j'avais obtenu la requalification pour *viol*, que je m'étais portée partie civile et que j'essayais d'écrire un livre là-dessus.

Mes amies me proposent de venir me soutenir, mais ceux que j'aimerais à mes côtés, ce sont mes parents, mon frère, mes sœurs. J'ai la chance qu'un homme ait été arrêté, qu'il y ait d'autres victimes pour corroborer mes dires, que ma mère se souvienne, que la justice me croie, et cette chance, je voudrais m'en saisir comme d'un porte-voix, dire à mes frère et sœurs, à mes parents, *Regardez, j'ai porté des années la haine, la terreur, la violence, la laideur. Regardez, elles n'étaient pas à moi, mais à lui, assis là dans le box des accusés. Voici des années que vous et moi, nous ne nous connaissons plus que par mes outrances, par nos silences, regardez, je suis devant vous aujourd'hui et me voici nue, voici mon corps meurtri, abîmé, regardez-moi, j'ai besoin de pouvoir enfin m'écrouler dans vos bras, j'ai besoin que vous fassiez corps autour de moi.*

Je profite d'un échange de mails pour leur donner les dates du procès et leur proposer de venir me rejoindre au Palais de Justice à l'heure du déjeuner. Seule une de mes sœurs me répond, celle qui mesure à l'aune de sa propre vie la profondeur inouïe de l'impact. Elle a bloqué trois journées pleines pour me soutenir.

Quelques jours après, le vin aidant, j'en parle un soir de fête à un cousin. Il m'écoute, il me soutient, il m'encourage. À ma sœur, à lui, je voudrais tresser une couronne de palmes et les promener en triomphe sur un chariot de fleurs dans la ville en liesse.

Alors, au déjeuner familial, le dimanche suivant, j'ai du courage au cœur et un objectif en tête, leur dire : *Ça va être dur, j'ai besoin de vous.* Ne pas regretter ensuite de n'avoir pas demandé.

Assise à la grande table, j'attends que quelqu'un me tende une perche, réponde à ma proposition de déjeuner, me demande des précisions sur ce procès dont nous n'avons jamais parlé, s'inquiète. Ils discutent de l'organisation des prochaines vacances, de qui va où, des élections américaines, des enfants, le repas file et je n'arrive pas à placer ma phrase, je souris à la ronde, je passe les plats, je coupe les tartes, et soudain un flottement, je me dis là, mais le temps d'avoir peur que déjà quelqu'un s'est mis à parler d'autre chose, et les enfants qui entrent et qui sortent, le café au salon, et toutes les petites conversations subsidiaires, puis ils se lèvent et vont pour partir, j'ai les larmes aux yeux, je me mords la langue, je cherche frénétiquement mon pull, ma belle-sœur, devant la porte, *Et ton procès ?* J'articule, *Ça va être dur*, je file pleurer dans la salle à manger, puis j'écarquille les yeux, je me pince les joues, je reviens avec un grand sourire, nous disons au revoir à notre tour, et nous prenons l'ascenseur. Sitôt dehors, je sanglote.

J'avais tellement besoin d'amour et de réconfort. Je m'en veux de n'avoir pas su le demander, je leur en veux de n'avoir pas su le voir, ou de n'avoir rien osé.

Quelques jours plus tard, ma mère m'appelle. Elle sera là, mon père aussi, ils se relayeront à mes côtés et elle se propose pour appeler mes frère et sœurs et organiser un roulement.

En moi, la houle s'éteint et, dans la transparence bleutée, on aperçoit les fonds marins.

Je redoutais le silence de mon père. Je lui écris, *Maman m'a dit que vous essayerez de venir, je n'imagine pas comme il doit être difficile pour un père de parler de ce genre de choses avec sa fille, mais voilà, je serais très touchée que vous veniez, j'ai besoin de vous, je vais avoir besoin des bras de mon Papa.* Des mots simples, et pourtant, il m'en aura fallu des années pour parvenir à les dire.

Excédant mes attentes, tous viendront, mon mari, ma mère, mon père, mes sœurs, mon frère, mes tantes, un cousin. Chaque jour, le voile qui nous séparait se déchirera un peu plus, je me laisserai prendre dans leurs bras et dans nos étreintes furtives tant de mots se passeront désormais d'être dits.

Mes amies aussi seront présentes, celles qui le peuvent, celles qui ne chancelleront pas de me voir m'effondrer.

Et toutes et tous feront corps à mes côtés.

III

III

Premier jour du procès. J'ai préparé la veille avec soin mon écorce, des vêtements seyants, discrets, confortables, je me suis épilée, lavé les cheveux, passé de la crème sur les jambes. J'ai rendez-vous avec moi.

Dehors, le ciel est lourd d'une averse à venir, je file à vélo entre les flaques laissées par la nuit, les yeux qui piquent, le cœur prêt. Les rues sont vides. Devant un lycée, une pyramide savante de bacs à poubelles verts annonce la mobilisation à venir contre une nouvelle loi Travail. À peine arrivée sur l'île de la Cité, l'averse éclate, j'accroche mon vélo à une rambarde, je cours m'abriter au café où je retrouve ma mère et son sourire inquiet. J'inspire grand, j'expire par petites saccades précipitées, je dévisage les jeunes femmes au zinc, *Lesquelles sont les autres victimes ?* Café avalé, nous traversons le boulevard du Palais, nous passons les portiques de sécurité, le vaste perron de pierre, la solennité grise du grand hall, l'escalier K, les gendarmes en faction. J'entre dans la salle Victor Hugo.

C'est une pièce lambrissée de bois sombre, au plafond gris-bleu chargé de symboles en stuc, et percée latéralement d'alcôves. À droite, elles abritent de larges fenêtres qui donnent sur le perron de pierre, les hautes grilles et le boulevard du Palais. À gauche, l'une d'elles contient le box des accusés, impasse clôturée de bois et de verre teinté. Giovanni Costa s'installera là, tout à l'heure, et de cette estrade, il fera face aux bancs alloués aux parties civiles. Il ne verra de nous que nos profils, à moins que nous choisissions de nous tourner vers lui. À ses côtés, la greffière, dont le bureau forme l'extrémité du grand arc de cercle où siégeront les jurés avec, en leur centre, le Président, entouré de part et d'autre de ses deux assesseurs. À l'autre extrémité, le bureau de l'avocat général et la petite table de l'huissier audiencier. Puis, de part et d'autre de l'allée centrale, de lourds bancs vernis, à gauche, pour la Défense, à droite, pour l'Accusation. À l'arrière, une longue balustrade derrière laquelle trois étroites rangées de chaises se remplissent. Au centre, la barre. Minuscule guérite de cuivre et de bois, gouvernail poli par toutes les mains venues s'y cramponner, nombril. Là, on jure de parler sans haine et sans crainte, de dire toute la vérité, rien que la vérité, là, les mots pèsent, les mots déterminent des vies entières.

La salle bruisse de conversations et de manteaux entassés sur les genoux. *Nous sommes nombreuses*, je me dis, *nous sommes entourées.*

Giovanni Costa entre dans le box des accusés. Je le dévisage et je ne le reconnais pas, je ne reconnais rien de l'homme de mai dans ce vieux type débraillé, veste de survêtement nylon, tee-shirt fatigué, crâne chauve cerclé de cheveux gris, yeux enfoncés, je ne le reconnais pas, cet homme un peu bedonnant qui peine à s'asseoir, je le dévisage pourtant, je n'arrive pas à détacher mon regard, soudain ses yeux s'animent et de son perchoir, il scrute, une à une, méthodiquement, les personnes assises dans la salle. J'ai mal au ventre, je m'affole, *il nous cherche*, j'ai du mal à respirer, son regard s'approche, je broie la main de ma psychiatre assise à mon côté, *il va me voir*, je ne parviens pas à détourner la tête ; soudain s'abattent sur moi ses coups. Il a plongé ses pupilles dures dans les miennes et tous mes muscles se sont crispés, j'ai le corps criblé de haine, je peine à reprendre mon souffle ; le monsieur de l'escalier, l'homme du mois de mai, l'homme d'il y a vingt-six ans et de chaque journée écoulée depuis, c'est lui. Giovanni Costa.

À l'entrée du Président, la salle se lève puis s'assoit en silence, et tandis qu'il égrène vingt-quatre noms, ceux des jurés de cette session d'assises, je comprends peu à peu que les gens, dans le public, ce ne sont pas les victimes et leurs proches, non, ce sont les quidams qui vont être tirés au sort pour décider du nôtre.

Quelques récusations plus tard, la salle est presque vide. Six jurés prennent place autour du Président. Un joli trentenaire à la barbe taillée. Un homme au visage replet et au regard tendre. Un vieil homme fatigué. Une femme élégante aux cheveux mis en plis. Le sosie de Charles Berling. Une femme aux yeux vifs, cerclés de lunettes. Quatre jurés suppléants. Un jeune homme digne et vêtu avec soin. Une petite dame aux cheveux blancs tenus par un large bandeau noir. Une jeune retraitée dynamique. Une femme au visage rond encadré de mèches brunes.

Le Président ne laisse rien paraître sous sa longue robe rouge et son masque de Président, il parle posément à mots affables et comptés.

L'avocat général est immense, courte barbe poivre et sel et lunettes écaille.

Comme l'avocat qui a assisté Giovanni Costa durant l'instruction s'est retiré, deux Secrétaires de la Conférence assurent sa défense. Leurs talents d'éloquence leur ont valu d'être commis d'office deux semaines plus tôt et si les mille sept cent quatre-vingt-quatorze pages de l'affaire Costa tiennent dans une clef USB, ils n'ont guère eu le temps de prendre la mesure de leur client. À peine le Président les a-t-il cités que Costa se lève et les récuse. Le Président lui objecte que s'il a le droit de demander à ses avocats de se taire, aux assises, il n'a pas celui d'assurer seul sa défense. Costa fait une plaisanterie douteuse sur *les belles femmes*. J'ai du mal à le comprendre, il parle avec un fort accent italien.

À l'appel de leur nom se lèvent puis se retirent quelques victimes citées comme témoins. Quand personne n'est là pour répondre à l'appel, *Passer outre*, dit le Président, de plus en plus perplexe à mesure que s'allonge la liste des absentes. Du dehors parviennent sifflets et bribes de slogans scandés par le long cortège des manifestants qui défilent sur le boulevard. Assises en silence sur le banc des parties civiles, nous sommes deux, une jeune femme aux contours anguleux et au regard doux, et moi.

Giovanni Costa règne.

Le Président commence à lire à la cour les chefs d'accusation, et au deuxième, *Avoir, à Paris, le 13 mai 1990, en tout cas sur le territoire national et depuis temps non couvert par la prescription de l'action publique, par violence, contrainte, menace ou surprise commis un acte de pénétration sexuelle sur la personne d'Adélaïde Bon, en l'espèce notamment en introduisant un doigt dans le sexe de la victime, avec cette circonstance que les faits ont été commis sur une mineure de moins de quinze ans, comme étant née le 1er mars 1981*, au deuxième, Costa bondit et les deux mains agrippées à la vitre teintée, il hurle :

— *C'est toi le violeur de petites filles, collabo !*

je suis dans la cage d'escalier de mon immeuble

terrifiée

tétanisée

je n'arrive plus à respirer

— *Monsieur Costa, vous pourrez vous exprimer après.*

— *Enculé, violeur d'enfants, c'est des mensonges, je ne suis pas un violeur !*

— *Monsieur Costa.*

— *Tu racontes des conneries, va te faire enculer !*

— *Monsieur Costa.*

— *Personne n'est là ! Où sont les victimes ? Où sont les parties civiles ? Enculé !*

— *Monsieur Costa, je vous demande de vous calmer.*

— *Où sont les témoins ? Enculé !*

— *Monsieur Costa, calmez-vous sinon je vais devoir vous exclure des débats pour la journée.*

— *Où sont-elles, enculé ? Bâtard ! Esclave d'Italie ! Où sont-elles ?*

Il est expulsé du box par deux gendarmes. Mon corps se brise.

Dans le calme revenu, le Président poursuit la lecture du martyrologe, je n'entends rien, je sanglote.

Maintenant que le juge a nommé le crime, que l'accusé a dévoilé un peu de sa violence coutumière et que la victime est secouée de sanglots anciens, chacun est ici à sa place.

Après la pause du déjeuner, un policier de la Brigade des mineurs de Paris s'avance à la barre. C'est le capitaine qui m'a appelée, un soir d'hiver, il y a trois ans, et qui m'a reçue quelques mois plus tard.

Aux assises, la procédure est orale, le Président est le seul du jury à avoir connaissance du dossier, alors le policier retrace pour les jurés et les assesseurs l'enquête au long cours qui a abouti à l'arrestation de *l'électricien*. Il a la voix sourde de ceux qui n'aiment pas parler en public et tous se tendent vers lui pour mieux l'entendre.

Une vingtaine de plaintes pour viols, tentatives de viols et agressions sexuelles sur mineures entre 1983 et 1984.

Une vingtaine de plaintes pour viols, tentatives de viols et agressions sexuelles sur mineures entre 1990 et 1991.

Une trentaine de plaintes pour viols, tentatives de viols et agressions sexuelles sur mineures entre 1994 et 2003.

Presque tous commis dans l'Ouest parisien, par un homme au crâne un peu dégarni et à la voix chantante, un homme d'âge mûr qui demande de l'aide à des fillettes. Souvent, il prétexte une ampoule, un boîtier, un compteur électrique. Il manœuvre leurs petits cœurs tendres, il les isole, il prétend leur faire la courte échelle et fourre ses paluches entre leurs cuisses, il enlève leurs vêtements, il palpe leurs tétons, il frotte son sexe contre leurs vulves, leurs fesses, il les gifle si elles pleurent, il les pénètre avec ses doigts, avec son sexe, il éjacule parfois sur leurs habits.

Quatre des fillettes sont amenées aux urgences médico-judiciaires et leurs vêtements souillés de sperme sont placés sous scellés.

De 1990 à 1993, une première information judiciaire conduit à un non-lieu, l'auteur n'est pas identifié.

De 1996 à 1998, la Brigade des mineurs rassemble cinquante-six faits similaires dans une synthèse dite de *l'électricien* ; une deuxième information judiciaire conduit à un non-lieu, l'auteur n'est pas identifié.

En 2001, un suspect est interpellé, la police scientifique extrait des vêtements placés sous scellés (trois petites culottes de coton blanc, un pantalon de jogging et un tee-shirt gris) les traces d'ADN d'un seul et même individu. Qui n'est pas le suspect interpellé.

De 2002 à 2005, une troisième information judiciaire conduit à un non-lieu, l'auteur n'est pas identifié. Les dossiers sont classés. Fin de l'histoire.

Mais voici qu'une femme, aussi fluette qu'elle est déterminée, voici qu'une enquêtrice au long cours de la Brigade criminelle décide de consacrer une partie de sa retraite à rouvrir des affaires non résolues, des *cold cases*. Voici qu'elle choisit d'exhumer des archives le dossier de *l'électricien*. Après un travail de fourmi et des centaines de coups de téléphone, elle parvient à localiser les différents scellés, et comme la science a fait quelques progrès, en 2010, elle obtient du parquet l'établissement d'un génotype plus précis.

C'est grâce à cette héroïne de l'ombre dont je ne connais même pas le nom, et grâce aux équipes qui se sont succédé pour conserver les scellés que, début 2011, l'ADN de *l'électricien* est inscrit au Fichier national automatisé des empreintes génétiques, cher au père de Sigrid, mon amie de lycée.

En avril 2012, après une rixe entre voisins, un certain Giovanni Costa est placé en garde à vue. Son casier judiciaire révèle un passé chargé de condamnations pour vols, alors un policier zélé prélève son ADN pour l'entrer au Fichier. En mai, il apparaît que cet ADN correspond à celui de *l'électricien*.

En juin, la troisième information est rouverte, les enquêteurs doivent retrouver les procès-verbaux originaux, localiser puis réentendre les nombreuses victimes, arrêter Giovanni Costa.

Il est interpellé en octobre, assis à un arrêt de bus, à Richelieu-Drouot, non loin des boutiques de recel avec lesquelles il a l'habitude de travailler, assis là où depuis des années il a coutume de s'asseoir, là où ceux qui le connaissent savent depuis toujours le trouver. Ce n'est pas un homme traqué.

Sitôt arrêté, Giovanni Costa réfute les faits, nie la présence d'ADN, crie à un complot ourdi par une policière italienne et des dealers noirs, abreuve chacun et surtout chacune d'injures, clame qu'il a un sosie, qu'il n'a aucun mal à séduire les putes françaises, qu'il est un étalon italien que toutes les femmes s'arrachent.

En plus de vingt ans de carrière à la Brigade des mineurs, je n'ai jamais eu affaire à un individu de la sorte.

L'inspectrice de police qui vient ensuite à la barre raconte un interrogatoire. *On étale sur la table des photos des fillettes, il devient enragé, « Je ne suis pas un violeur, le sperme sur leurs culottes, c'est celui du père ou du grand-père, demandez-leur, c'est statistique ! », il jette à terre les photos, il me hurle « Salope, tu t'es fait prendre par tous les chiens », il arrache les câbles de l'ordinateur qui permettent l'enregistrement.*

Aucun des faits dénoncés n'a eu lieu lors de ses nombreuses incarcérations pour cambriolages.

Lorsqu'il parle de son *métier*, le vol, il raconte un mode opératoire en tout point similaire aux dires des petites victimes, *Je me faisais passer pour un dépanneur d'électricité et de gaz. Moi, j'attendais tranquillement en bas de l'immeuble que quelqu'un entre, pour pouvoir accéder à l'escalier de service. Là, je disais que je venais ajuster un appareil. Je montrais où était le compteur, s'il n'y avait pas d'escabeau, je faisais la courte échelle, je disais de regarder que ça tourne bien. Pendant ce temps, j'allais dans la chambre, je prenais ce qu'il y avait, notamment des bijoux, et je partais.*

Le profil génétique prélevé sur les quatre vêtements correspond au sien, un profil dont la fréquence d'apparition dans la population générale est inférieure à 1 sur la population mondiale.

L'inspectrice ajoute, et sa voix résonne dans la salle silencieuse, *En dix ans à la Brigade des mineurs, j'en ai vu des prédateurs sexuels. Aucun ne m'a marquée comme lui, par le nombre de ses victimes, et parce qu'il n'a aucune considération pour elles ni pour personne. Je le dis d'expérience, on ne devient pas pédocriminel sexuel à cinquante ans. La violence lui permet d'échapper aux questions.*

Qu'est-ce qu'est la vie de Giovanni Costa pendant soixante-dix-huit ans ? Nul n'en sait rien, ou si peu.

Il est né en 1938, à Villa Rosa, une petite ville de Sicile, dans une famille catholique pratiquante. De cette famille, *Il n'a revu personne depuis son départ, en 1958*, a assuré sa belle-sœur aux carabiniers. Il lui téléphone en 1989, désargenté, pour payer l'avocat lors d'une énième incarcération. Sa belle-sœur lui versera alors tous les mois les quelques sous de l'héritage paternel, passant outre les dernières volontés du père, mort deux ans auparavant, un père qui avait conditionné cet argent à la venue de son fils à son enterrement. Quand l'héritage fut épuisé, il n'a plus donné de nouvelles.

Seul son casier judiciaire renseigne un peu sur ses allées et venues :

Entre vingt et un et vingt-neuf ans, il est en Belgique et visite les maisons comme les tribunaux. Il est condamné six fois à Charleroi, Liège et Bruxelles pour tentative de vol, vol, recel, coups et blessures volontaires, usurpation de nom, faux en écriture et usage de faux.

Il a trente et un ans, il est en France, condamné à Marseille pour vol et détention d'armes, puis à Saint-Ouen pour vol, recel et détention d'arme. Il passe six mois en prison, sort quelques mois, est de nouveau arrêté pour une tentative de vol à Paris, puis à Colombes. Après une énième infraction à arrêté d'expulsion et à interdiction de séjour à La Queue-en-Brie, il usurpe différentes identités, comme celle de Salvatore Trapani, un camarade d'école émigré aux États-Unis.

Il a quarante et un ans, arrêté à Paris pour tentative de vol avec effraction, il passe un an en prison. Deux condamnations parisiennes plus tard, deux ans de plus de prison, pour vol avec effraction, recel de vol, contrefaçon d'un document administratif, infraction à arrêté d'expulsion. À peine sorti qu'il y retourne, à quarante-neuf ans, condamné à Paris à quatre ans de prison pour vol, et cetera. Il bénéficie d'une libération conditionnelle moins de deux ans après.

Il a cinquante-quatre ans, condamné à Paris à quatre ans de prison pour des faits similaires, il bénéficie à nouveau d'une libération conditionnelle moins de deux ans après.

Il a soixante-six ans, condamné à Paris pour vol avec effraction, port illégal d'armes, faux et usage de faux.

Il a soixante-quatorze ans, condamné à Paris pour violences volontaires avec arme et dissimulation de preuve. Cette fois, lors de sa garde à vue, un policier zélé prélève un peu de son ADN.

Comme la vie se répète chez ceux qui s'acharnent à vouloir la détruire.

L'enquêtrice appelée à la barre pour témoigner de sa personnalité et de son parcours se borne à résumer ce qu'il lui a dit lors de leurs entretiens en prison, elle n'est parvenue à rien vérifier de ses longues élucubrations. Il n'a jamais été salarié, il raconte avoir travaillé au noir dans la restauration et l'ébénisterie, avoir étudié le droit, en Suisse, en 1957. Il dit qu'il a vécu à Londres entre 1972 et 1974, et qu'il ne vole que les riches. Il a surtout vécu dans des hôtels. Il a des couilles. Il prétend être resté quatorze ans avec la même femme, mais avoir oublié jusqu'à son prénom. Il aime passionnément les courses hippiques, les prostituées et les chaussures, surtout celles en croco, il se vante d'en avoir acheté des dizaines de paires, les bonnes années. Il a toujours veillé à avoir les pieds parfaitement pédicurés (lors de son arrestation, il avait sur lui un nécessaire complet). Il prétend que le violeur serait son sosie, mais il ne donne pas pour autant d'alibis, il ne se souvient pas où il était les jours des faits, il voyage tellement. Ah, si, pour l'une des quatre victimes aux culottes maculées de son ADN, *Ce sont des mensonges*, ce jour-là, il regardait la finale Italie-Brésil de la Coupe du monde de football à l'hôtel Worringer, à Düsseldorf (une finale qui eut lieu le mois d'après). Il est un voleur, pas un violeur, il a une bonne éducation, il est italien, désirable, viril, un étalon, un homme, un vrai.

Elle termine, *Je pense par ailleurs qu'il a voulu m'utiliser pour faire le lien avec la juge d'instruction.*

La jeune femme assise avec moi sur le banc des parties civiles est appelée à la barre. Le Président projette sur les écrans le visage qu'elle avait alors. C'est une photo d'anniversaire, prise quelques mois avant le viol, où derrière les bougies et le gâteau au chocolat décoré de smarties, une fillette nous regarde en clignant de l'œil, le sourire toutes dents dehors et la frange en pagaille. La voilà, des années plus tard, très droite, les mains crispées sur la barre. Elle raconte sans détour ni trémolo le jour sombre et la survie d'après. Lorsqu'elle repart, nos mains s'empoignent avec une ferveur furtive.

Le Président lit ensuite les dépositions d'une absente ; l'une des deux filles dont j'avais reconnu le nom dans l'avis à victimes, celle qui était au collège avec moi. Le Président lit les faits, barbares, et je pense à cette jeune fille ronde et timide, l'air gentil, que je croisais souvent et connaissais si peu. J'espère qu'il y a eu quelqu'un pour lui tenir la main.

Comme lire les dépositions va plus vite qu'entendre le témoignage haché de silence des victimes à la barre, après les vingt-quatre *Passez outre* de la matinée, le Président prévoyant retire une journée pleine aux débats.

Ce soir-là, tandis que je me prépare le ventre noué à témoigner le lendemain, citoyennes et citoyens de tous horizons passent leur première Nuit Debout auprès du catafalque qu'est devenue, d'attentat en attentat, la place de la République. Ils rendent aux statues ensevelies sous les témoignages détrempés et les bougies éteintes le lustre de leurs allégories : Liberté, Égalité, Solidarité.

Deuxième jour. Une nouvelle jeune femme, au corps si tendu qu'on craindrait qu'il casse, se tient tremblante sur le même banc que moi. Giovanni Costa nous observe et à peine s'avance-t-elle pour témoigner qu'il piaffe, sitôt a-t-elle entrouvert les lèvres qu'il insulte le Président, *Enculé*, et cetera. Le voilà à nouveau exclu de l'audience pour la journée.

À moi de témoigner. J'avance, chancelante, déçue. J'aurais voulu qu'il soit assis dans le box des accusés et moi debout à la barre, j'aurais voulu qu'il m'entende, j'aurais voulu que ce soit mon tour de parler et le sien de se taire, j'aurais voulu lui détailler chacune de mes plaies, j'aurais voulu qu'ensuite le Président lui intime d'en répondre.

L'après-midi, comme c'est mon droit en tant que partie civile, j'ai cité ma psychiatre, la docteure Salmona, à comparaître comme experte.

Vibrante de passion et de compétence, avec la simplicité propre aux grandes âmes, elle explique, précisément, médicalement, études à l'appui, ce que c'est que de vivre toute une vie après un viol.

Après son exposé, les jurés, le Président, l'avocat général, tous la questionnent.

— *Pardon pour cette question technique, mais pour qu'il y ait viol, faut-il qu'il y ait rupture de l'hymen ?*

— *Absolument pas. L'hymen est une membrane perméable, dans deux tiers des viols commis sur des enfants, on ne constate pas de déchirures.*

— *Est-ce vraiment possible d'oublier qu'on a subi un viol ?*

— *Oui, et parfois pendant des décennies. La majorité des enfants victimes de violences sexuelles présentent des amnésies traumatiques complètes ou parcellaires, liées au mécanisme de disjonction que le cerveau déclenche pour se protéger du stress extrême généré par ces violences.*

— *Les souvenirs qu'on a du viol peuvent-ils s'inventer ou s'altérer ?*

— *Absolument pas, il ne s'agit pas de souvenirs autobiographiques conscients, des souvenirs qui eux se situent dans le temps et s'émoussent au fil des années, qui peuvent se remémorer intentionnellement, qui peuvent se raconter, être analysés, transformés. Non, la mémoire traumatique générée par le viol, elle, est hors temps, elle s'impose comme si elle était en train de se reproduire, elle se répète de façon immuable avec la même charge émotionnelle initiale, les mêmes détails. Les années n'ont aucun effet sur elle.*

Comme les boîtes noires des avions. Elle est involontaire, envahissante, incontrôlable et indifférenciée.

— Est-ce possible de guérir d'un viol ?

— Oui, heureusement, si la victime bénéficie d'une prise en charge spécifique. Elle aura à retraverser les événements traumatiques pour les intégrer enfin à sa mémoire autobiographique, mais elle doit pour cela être accompagnée par une personne formée aux troubles psychotraumatiques.

— Est-ce qu'on peut parler d'attirance sexuelle pour les enfants ?

— Non, la pédocriminalité sexuelle n'a rien de commun ni avec le désir ni avec la sexualité. La violence génère chez l'agresseur un stress extrême, un survoltage de l'amygdale, elle déclenche les mêmes mécanismes psychotraumatiques que chez sa victime. Sauf que lui utilise la victime comme un antalgique, il choisit de provoquer cet orage émotionnel pour obtenir une production très importante de drogues dures endogènes puis une disjonction et une anesthésie émotionnelle. Il veut s'éviter de souffrir, il veut se sentir invincible, tout-puissant, et crime après crime, il développe une addiction de plus en plus sévère aux violences extrêmes. Plus la victime est pure, plus le crime est abject, plus l'anesthésie sera forte. Les pédocriminels sexuels sont des toxicomanes de la violence.

Depuis 2003, pas un procès-verbal. Où étais-tu, Giovanni ? Qu'as-tu fait à tes victimes pour qu'aucune ne porte plainte ?

Clara, Marguerite, Adélaïde, Stéphanie, Leïla, Myriam, Sophia, Alice, Melinda, Maria, Sophie, Marie, Anna, Mathilda, Clotilde, Sybille, Juliette, Philippine, Julia. Nous serons finalement dix-neuf à venir témoigner.

Quatorze parties civiles, dont neuf qui se seront constituées quelques jours, quelques heures, quelques minutes avant de passer à la barre, toutes évoquant les jours d'épouvante qui ont précédé leur venue, toutes le corps tremblant de la détermination qu'il leur a fallu convoquer en elles pour parvenir à parler au procès.

L'une des toutes premières victimes à s'être constituée partie civile ne s'est pas présentée, son avocat non plus. L'huissier et la greffière lui téléphonent, lui laissent des messages, elle ne rappelle pas. Ils contactent l'avocat. *Elle ne veut plus témoigner ni être représentée, elle est terrifiée.* Comme elle, treize jeunes femmes ne viendront pas, elles dérogeront à l'assignation à comparaître et préféreront encourir une sanction pénale plutôt que d'avoir à lever les scellés apposés sur la journée hideuse et sa longue cohorte.

Alors que nous sommes sortis déjeuner place du Châtelet, mes parents, ma sœur et moi, au troisième jour du procès, j'en reconnais une. Je la reconnais parce qu'elle est par ailleurs fille de stars et que j'avais cherché son visage sur Google un soir de solitude. Elle attend quelqu'un, longtemps, juste devant le restaurant, et j'ai envie d'aller la voir, de lui dire, *Excusez-moi, on ne se connaît pas, mais nous avons été victimes du même homme. Son procès se tient à quelques pas d'ici. Je voulais simplement vous le dire, vous prévenir. Mais peut-être est-ce pour cela que vous êtes là, que vous êtes revenue en France ?* Je m'accroche à cet espoir imbécile, je me défile. À cet instant, elle est rayonnante, elle semble si sereine, j'ai peur de l'huile de poix que mes mots vont répandre sur la clarté du jour.

Le lendemain, quand le Président lira ses dépositions en son absence et donnera à entendre le désespoir de cette jeune femme qui n'avait que six ans lorsque Costa l'a prise, l'étendue du désastre, tout ce qu'elle a dû mettre en place pour survivre, j'aurai le cœur amer de n'avoir pas osé.

Et il y a toutes celles pour qui les faits sont prescrits et dont le témoignage n'a pas été requis par la cour.

J'ai noté les prénoms des absentes sur la page de garde de mon carnet et, chaque jour du procès, je les y emmène. Céline, Anaïs, Caroline, Constance, Anne, Sophie, Toinon, Charlotte, Aurore, Alice, Anne, Juliette, Gwendoline, Sophie, Sandra, Marine, Louise, Joëlle, Élisabeth, Ludivine, Julie, Marine, Laura, Anaïs, Florence, Elsa, Perrine, Albane, Chloé, Victoria, Ingrid, Alicia, Raphaëlle, Véronique, Laure, Élise, Delphine, Vanessa, Saïda, Céline, Yun, Marie-Eugénie, Sandra, Claire, Amélie, Patricia, Sophie, Marie-Christine, Stéphanie, Tatiana, Adeline, Élodie, Marine.

Et il y a celles, il y a toutes celles pour qui les faits n'ont jamais été dénoncés.

Et il y a toi, Giovanni. Toi qui as consacré ta vie à voler et violer.

Où sont les témoins ? Je veux être confronté aux témoins !
Vous n'avez qu'à mettre devant moi les jeunes filles qui
m'accusent ! Qu'on les mette face à moi ! Il faut qu'elles
viennent ici me dire que je les ai violées ! Il faut faire la
confrontation ! Amenez-moi les victimes qui m'accusent !
Mettez-moi une seule femme en face de moi pour dire que
je l'ai violée. Une ! Je la veux en face de moi ! as-tu exigé
à cor et à cri à chaque interrogatoire. À tel point que la
juge refusera de t'adresser la copie intégrale du dossier
d'instruction, au motif qu'*il existe des risques de pression*
sur les parties civiles et plaignantes si M. Costa obtenait
copie de leurs auditions ainsi que de leurs coordonnées pos-
tales et téléphoniques.

Mais voilà qu'au soir du quatrième jour, tous les
témoignages des victimes présentes dans l'Ordonnance
ont été entendus et tu n'étais pas là. Tu n'as répondu
à aucune question, tu ne t'es soumis à aucun contre-
interrogatoire, tu ne t'es confronté à aucune d'entre
nous.

Les deux premiers jours, tu t'es arrangé pour être exclu en tout début de séance en traitant cinq-six fois le Président d'*enculé* et les jours d'après, tu t'es laissé transféré de la maison d'arrêt à la souricière du Palais de Justice, puis tu as refusé d'en être extrait, injuriant le matin l'huissier chargé de te signifier ton obligation d'être présent, injuriant le soir la greffière chargée de te rapporter ce qui s'était passé.

Chaque matin, tu nous fais t'attendre en vain plus d'une heure. Chaque soir, tu imposes au Président de supplier un huissier de bien vouloir venir au Palais le lendemain matin. Le procès ne peut pas commencer tant que tu n'as pas réitéré devant huissier ton refus de comparaître et ils ne sont que deux, à Paris, à accepter cet office mal payé.

Je t'imagine faisant macérer ta haine dans les odeurs d'urine d'une cellule souterraine et humide, mais ça n'atténue rien. Comment me départir de toi sans te voir ?

Une avocate lit à ton box vide la lettre d'une mère, *Nous avons eu le courage de venir témoigner. Aurez-vous la franchise de nous répondre ?* Ta réponse, c'est ton absence. Tu ne nous donnes rien. Rien à analyser, rien à débattre, rien à confronter. Tu es au-dessus des lois. Ce procès ne te concerne pas. Nous n'existons pas. Pour toi, nous n'avons jamais existé.

Après le premier témoignage, les journalistes déçus ont déserté leur box. Sans le cambrioleur-violeur de petites filles riches, sans les vociférations du monstre, l'histoire manque de piquant. La douleur est moins affriolante que la haine. Non loin se tient un procès pour des pirates somaliens, c'est plus accrocheur que l'effrayante banalité des petites filles violées.

Alors, face au mépris ricanant du box vide, face aux regards inquisiteurs des jurés, agrippées à la barre comme à un esquif, nous avons une à une déposé nos jolis masques patiemment ouvragés, nous nous sommes dévêtues de nos remparts, nous avons laissé couler les larmes si longtemps tues et nous avons tenté d'accoler des mots au désastre.

De témoignage en témoignage, je suis tout entière contenue dans chacun de leurs mots. Et dans les miroirs tendus de leurs histoires à elles, je me défais peu à peu de ton histoire à toi.

J'ai rencontré cet homme quand j'avais une dizaine d'années et – long silence

Je préfère répondre à des questions – elle fond en larmes

Après avoir déjeuné à la maison, je retournais à l'école avec ma petite sœur, un monsieur un peu âgé m'a interpellée, il avait besoin d'aide pour une ampoule dans une cage d'escalier.

Comme j'étais malade, je suis restée à la maison ce jour-là, quelqu'un a sonné à la porte, j'ai regardé par l'œilleton : je n'ai vu personne, j'ai pensé que le concierge avait déposé le courrier sur le paillasson, j'ai ouvert et il y avait un homme dans l'escalier, il est remonté en me voyant, il s'est présenté comme l'électricien de l'immeuble, il m'a demandé si j'étais seule.

Ce jour-là, je me suis disputée avec mes parents, j'ai voulu pédaler vite pour arriver la première à la maison, mon vélo a déraillé, un monsieur a surgi et m'a proposé de le réparer si je l'aidais à changer une ampoule.

Je traversais le parc Monceau, bondé à l'heure du déjeuner, j'accompagnais mon frère au foot et un jardinier nous a demandé de l'aider à déplacer des pots de fleurs, contre une pièce de dix francs.

C'était le gardien de l'immeuble, sa femme était enceinte, il avait besoin d'aide pour changer une ampoule, il me donnerait une pièce.

Un vieux monsieur m'a dit qu'il avait du mal à marcher, il m'a pris le bras.

Sa femme était enceinte, il avait des choses lourdes à déménager.

C'était un vieux monsieur, je lui ai tenu la porte.

Un monsieur m'a dit que sa femme était enceinte et qu'il n'y avait plus d'eau.

Il était très embarrassé d'avoir à me demander ça.

J'étais de nature à aider. Et puis il m'avait promis une glace.

Je n'ai pas osé le dire ensuite, mais il m'avait promis une pièce de dix francs.

Je viens d'une famille catholique, j'étais scout, j'ai eu à cœur de me rendre utile.

Il n'était pas effrayant, plutôt pitoyable.

J'ai été élevée dans une famille où l'on rend service.

J'avais envie de l'aider à réparer ce compteur.

Je savais qu'on ne doit pas parler aux inconnus, mais il avait l'air tellement gentil, tellement gêné de me demander de l'aide.

J'étais une petite fille docile.

il a regardé plusieurs fois vers la loge de la gardienne
soudain j'ai eu très peur
il a demandé à mon petit frère de surveiller quelque chose
il a dit à mon amie d'attendre en bas
il m'a emmenée en haut de l'escalier de service
il m'a emmenée dans le local poubelles
il m'a emmenée dans la cave

« Suis-moi ou je t'étrangle », j'avais très peur, je l'ai suivi

il y avait une boîte grise sur le mur
je voyais bien qu'elle était hors d'usage
il y avait une sorte de lucarne en hauteur
il y avait une manette à tourner
la lampe fonctionnait je n'ai rien osé dire

je me souviens – long silence *– son regard*

j'ai eu peur qu'il me tue j'ai fait ce qu'il m'a dit
j'étais pétrifiée de terreur
j'ai pensé il va me tuer

j'ai son regard – elle s'interrompt

212

il a essayé à plusieurs reprises de me soulever mes pieds
ne quittaient pas le sol mais chaque fois mon tee-shirt
remontait plus haut il faisait comme s'il essayait
de me porter il serrait mes tétons de plus en plus fort
il m'a soulevée à plusieurs reprises au fur
et à mesure il avait ses mains sur ma poitrine et puis
– euh – qu'est-ce qui s'est passé ?

il a attrapé mes fesses en me soulevant
il a demandé mon poids puis il m'a prise par les fesses

« Tu es très jolie », il m'a léché le cou
« On s'embrasse ? Je ne vais pas te manger »,
il m'a fait des bisous sur la bouche
« Sois gentille avec moi », il m'a embrassée
de force partout dans le cou et sur le visage
il m'a dit que j'étais belle que j'étais gentille
il m'a léché la joue
« Je ne te mangerai pas les seins, je suis marié »,
il a léché ma poitrine
il m'a embrassée trois fois
puis il a mis toute sa main dans ma bouche

j'ai réussi à m'enfuir j'ai dévalé les escaliers
il ricanait bien fort j'ai crié à ma petite sœur
de courir d'ouvrir la porte
c'était l'hiver je portais plusieurs épaisseurs il a dû renoncer
à me déshabiller en entier j'avais une combinaison qui

tenait par un lacet autour du cou il a passé du temps
à s'énerver sur le nœud qu'il n'est pas parvenu à défaire

mon pantalon le gênait petit à petit il l'a baissé il m'a dit
qu'il était allergique au jean alors j'ai dû retirer mon short
pourtant c'était pas du jean, mon short,
il avait un drôle d'outil en métal j'avais peur qu'il me
frappe avec j'ai obéi j'ai enlevé ma culotte

je me suis retrouvée toute nue, je ne sais pas comment

j'étais face à lui, il m'a demandé de le tenir par le cou
il m'a tenue serrée contre lui il a mimé des gestes pour me
faire comprendre que si je résistais il allait m'étrangler
il m'a collée au mur il s'est frotté contre mes fesses c'était
tout dur derrière son pantalon « Tu pleures pour rien, t'es
qu'une gamine. Les autres ne pleurent pas comme ça », il
a ouvert sa braguette il m'a fait voir son zizi il m'a giflée
« Je n'aime pas les enfants qui pleurent », il m'a posée sur
le bureau je n'avais plus mon pantalon il trifouillait au
niveau de mon sexe j'ai eu très peur j'ai beaucoup pleuré
il m'a cogné avec son poing il a mis deux doigts dans
mon vagin j'ai eu très mal j'avais envie de crier mais je
n'arrivais pas à articuler il s'est mis à rire il a mis ses doigts
dedans il les a sentis il les a léchés il a eu une sorte de rire
étouffé ça me brûlait je lui demandais d'arrêter il m'a giflée
plusieurs fois il riait il se moquait de moi il se moquait de
ma peur il a agité ses doigts dans mon sexe : « Tu vas aller
mieux après ça », il m'a fait très mal il a recommencé, « Je

214

ne mets que les doigts, arrête de pleurer », après il léchait sa main et moi je pleurais il a touché dans mon anus avec ses doigts avec son pénis, « Arrête de pleurer sinon je te donne une fessée », il n'a pas réussi à me pénétrer avec son sexe en me collant contre le mur alors il m'a allongée sur les escaliers il a écarté mes jambes j'ai eu très mal, « Tais-toi, les gens vont croire que je veux te violer. »

je me rappelle précisément certains détails et en même temps c'est très confus dans ma tête je ne me souviens presque de rien je pense que j'ai refoulé beaucoup de choses je pense qu'il y a beaucoup de choses qui ont disparu de ma mémoire du sperme a été trouvé dans ma culotte je ne me souvenais de rien je ne m'en souviens pas mais si je l'ai dit à l'époque c'est certainement vrai je n'étais pas du genre menteuse j'ai dit que j'avais vu son sexe mais moi aujourd'hui je ne sais pas je ne sais plus — elle pleure — pour ce qui me concerne c'est le vide

après il m'a dit qu'il était un honnête homme qu'il était père de famille qu'il avait deux enfants un garçon et une fille qu'il s'appelait « Salvator, le sauveur ».

« Tu as été gentille avec moi », il m'a emmenée à la boulangerie pour m'acheter les bonbons promis j'étais tétanisée je n'ai rien osé dire à la boulangère qui me connaissait bien il m'a donné quatre ou cinq pièces de dix francs il m'a dit que je lui avais rendu service que ça

215

méritait une récompense il a mis une pièce dans ma main
il a voulu me donner de l'argent dix francs vingt francs
trente francs je refusais il m'a fait jurer de ne rien dire,
« On est amis maintenant. »

il voulait qu'on se revoie il m'a demandé ce que je faisais le
mercredi il m'a demandé à quelle heure je terminais l'école
il aurait aimé me revoir il m'a proposé qu'on se donne
rendez-vous plus tard il m'a fait promettre de revenir

il est parti il a laissé la porte ouverte j'étais terrorisée je
n'osais pas sortir de la chambre j'avais peur qu'il revienne
il est resté dans les alentours tout l'après-midi
il m'a attendue des heures devant la porte de l'immeuble

maman m'a trouvée sans vie sans rien
c'est la voisine de palier qui a appelé la police
quand les policiers m'ont demandé de leur montrer ce qu'il
avait touché dans l'appartement eh bien il n'a touché que
moi il n'y avait d'empreintes nulle part
il m'a fait lui ouvrir toutes les portes les tiroirs bouger
le tabouret manipuler le compteur

au commissariat il y avait plein de policiers j'étais terrifiée
je n'ai pas dit grand-chose
je savais que j'avais mal fait que j'avais suivi un inconnu
je n'ai pas tout dit
je me sentais coupable de lui avoir tenu la porte
je n'ai pas tout raconté

216

j'avais honte je n'ai pas parlé des attouchements j'avais
hâte que l'audition se termine
je n'ai pas osé parler du sexe en érection et puis je n'avais
pas les mots pour l'exprimer

mon père était hors de lui il l'a cherché dans le quartier
toute la nuit il nous a emmenés vivre
dans le Sud l'année suivante
c'est la mère de mon amie qui a parlé de moi aux policiers
mes parents ont été mis au courant
mais ils ne m'en ont jamais parlé
mon père était très en colère contre moi il m'a reproché de
ne pas avoir agi correctement de ne pas avoir crié
ma mère a été tellement choquée qu'on est partis
précipitamment vivre en province l'année suivante un
départ aux conséquences désastreuses pour toute la famille
mes parents m'ont dit que c'était un secret
nous n'en avons plus jamais parlé
mon père m'a dit de n'en parler à personne sinon le regard
des gens sur moi allait changer
j'ai grandi recluse jusqu'à mes vingt et un ans mes parents
ne m'ont plus jamais laissée sortir seule de la maison plus
de goûters d'anniversaire plus de sorties scolaires plus de
soirées pyjama plus de voyages de classe plus rien sinon
parfois un McDo avec ma mère
je n'arrivais à en parler à personne
même à la psychothérapeute
que mes parents m'ont emmenée voir
à la maison nous n'en avons jamais reparlé c'était tabou

j'ai dû tout garder au-dedans de moi je me suis
renfermée je me suis construite sur la méfiance

je me suis sentie tellement coupable

je l'ai dit à ma meilleure amie et elle m'a ridiculisée
devant tout le monde
ça s'est su au collège quelqu'un a laissé un message sur
le répondeur de la maison « Tu n'aurais pas dû porter
plainte à la police. On va te niquer salope »
des filles de ma classe m'ont écrit une lettre de menace en
me faisant croire qu'elle venait de lui

si cela a eu des retentissements dans ma vie ?
– elle hausse les épaules, ne parviendra plus
à former ne serait-ce qu'un mot.
les séquelles ? – long silence –
j'ai eu de la chance – la voix brisée.
ça a été un traumatisme énorme
c'est une fracture ça m'a complètement isolée
ça m'a fait beaucoup de mal par la suite
– elle fond en larmes.
il m'a complètement détruite – silence.
ça m'a bloquée dans tout
ça a bousillé ma vie

c'est être toute seule perdue dans la forêt la nuit
c'est une impression très physique
qui vient d'un coup n'importe quand

218

pendant longtemps avant de m'endormir je voyais
les images de ce qui m'était arrivé
je me suis remise à sucer mon pouce
j'ai fait beaucoup de cauchemars
aujourd'hui j'ai encore peur du noir
je n'ai plus pu me balader seule – elle fond en larmes –
dans mon quartier pendant des mois je n'osais plus
me rendre au collège je le voyais
partout je ne suis plus parvenue à rien à l'école
j'ai beaucoup de mal à me concentrer
depuis j'ai des difficultés de concentration
ça prend toute la place je me suis réfugiée
dans les études je suis devenue anorexique
je suis devenue boulimique

j'avais peur de tous les hommes même de mon père
je ne voulais plus que mon père me prenne dans ses bras
ça a détruit la relation avec mon père il n'a jamais
compris l'impact que ça a eu sur moi

mes premières relations sexuelles ? – sa voix se brise,
elle ne peut plus rien articuler.

je me souviens encore de ses doigts en moi je suis terrifiée
au moment de la pénétration j'ai encore la sensation de ses
doigts qui s'introduisent entre les lèvres de mon sexe si j'ai
des relations sexuelles avec mon mari c'est par obligation je
n'y prends aucun plaisir

219

j'ai mis au point un système d'invisibilité
personne ne me voit
je suis devenue boulimique
pour que les hommes ne me voient pas
je me suis mise à me méfier de tout le monde
dans la vie il vaut mieux ne pas être trop gentil
j'ai beaucoup de mal à faire confiance
surtout aux hommes j'ai tendance à être tétanisée
et à ne pas pouvoir dire non j'ai toujours peur
de perdre le contrôle face aux hommes
je suis très méfiante je ne supporte pas d'être seule
dans un endroit clos avec un homme qui exerce
une autorité sur moi alors passer mon permis de conduire
aller chez le médecin être dans le bureau
de mon responsable je ne supporte pas

je suis si émotive depuis qu'il m'arrive
souvent de perdre connaissance
je vis constamment dans la peur
j'y pense tout le temps c'est une espèce de nuage
qui est là dans ma tête
je me sens anormale, cassée
j'ai une angoisse que je porte depuis
et qui se déplace sur plein de choses
j'ai fait une longue dépression
j'ai tout le temps peur
je me suis beaucoup renfermée je suis très nerveuse
je fais des migraines chroniques

220

j'ai tant de peurs d'angoisses que je ne comprends pas
j'ai suivi une psychothérapie pendant des années

je fais un blocage quand on veut me toucher
les massages je supporte pas
j'ai peur quand on m'approche si quelqu'un vient trop
près me touche j'ai envie de le frapper

j'ai toujours eu très peur des hommes et pourtant je suis
souvent tombée sur des hommes machos des hommes
violents qui considéraient les femmes comme de la
merde
j'ai toujours eu des relations difficiles compliquées
douloureuses avec les hommes il y a quelque temps je suis
tombée amoureuse d'une femme je suis heureuse avec elle
et ça me fait horreur de dire ça de dire que cette histoire
magnifique c'est en partie à cause de lui mais je crois bien
qu'il y a un lien avec ce qu'il m'a fait

j'avais tout oublié mais à une soirée j'avais dix-huit ans un
garçon m'a bloquée contre un mur pour m'embrasser tout
est revenu je me suis écroulée au sol

quand la police m'a appelée il y a trois ans j'ai fondu en
larmes ça m'a replongée dans quelque chose d'horrible
les événements ont resurgi quand la police m'a contactée
ça s'est enfoui en moi tout est revenu
quand l'inspecteur de police m'a appelée

221

entre l'appel de la Brigade des mineurs et le moment
où j'y suis allée pour déposer de nouveau plainte on voulait
faire un enfant mais j'ai cessé d'ovuler j'ai refait des crises
d'angoisse je fonctionnais comme au ralenti

plus j'y pense et plus c'est traumatisant
alors que c'était quelque chose de très loin

quand j'étais enceinte j'avais tellement peur
de contaminer mon bébé
pendant mes deux grossesses tout a resurgi j'ai eu de graves
problèmes neurologiques et cardiaques
je lave sans arrêt mes enfants je panique très facilement
surtout depuis que j'ai des enfants

mon mari n'est pas au courant
alors témoigner aujourd'hui c'est compliqué
je ne veux pas qu'il le sache
je n'ai pas réussi à dire à mes parents qu'il était arrêté
qu'il y avait un procès
je ne l'ai jamais dit à mon mari,
j'ai inventé une excuse pour venir aujourd'hui
c'est la première fois que j'en reparle devant des gens

quand je l'ai reconnu dans la salle d'audience
ça m'a fait un choc j'étais paralysée
le premier jour du procès je ne l'ai pas reconnu de dos
mais au moment où il s'est retourné
j'ai eu une boule dans le ventre

c'est l'homme que j'ai vu le premier jour
— tout son corps se raidit
c'est lui — presque inaudible

Je suis psychologue.
Je fais des sports de combat, je suis devenue boxeuse.
Je suis médecin pédiatre urgentiste.
Je suis étudiante en droit, je voudrais être magistrate,
peut-être juge pour enfants.
Je suis venue, si ça peut aider d'autres personnes à éviter
cela.
J'ai pris la décision de venir aujourd'hui pour vaincre ce
sentiment de honte et de culpabilité.

Je voudrais mettre un terme à cette journée-là.

Le lendemain du jour où tu nous as piégées, nous
nous sommes toutes réveillées dans notre jolie chambre
d'enfant et nous avons continué, à aller à l'école, à sourire à la dame, à dire *merci beaucoup*. Nous avons fait
avec, nous avions eu de la chance, nous étions vivantes,
cela aurait pu être pire. Nous n'en avons plus parlé,
ou si peu. Nous avons construit chacune nos exis-
tences. Nous avons tâché tant bien que mal que cela
tienne, nous avons empilé les expériences difficiles et
les belles rencontres au-dessus de cette journée-là, elle,
nous l'avons laissée dans la cave, nous l'avons oubliée,
nous avons dressé des cloisons, des couloirs, ouvert des
fenêtres, nous avons bâti de nos mains la charpente,

223

et si nous sentions confusément que l'édifice avait une malfaçon, nous ne savions pas laquelle, alors nous avons appris à colmater les brèches, les paniques, à circonscrire l'angoisse dans les combles. Nous avons invité des convives, nous avions l'impression d'habiter enfin chez nous.

Après le coup de fil de la Brigade des mineurs, de petits points noirs sont apparus sur nos murs, nous avons appuyé dessus du bout des doigts, le mur s'est effrité. Nous avons regardé nos portes, elles étaient percées de tunnels et de galeries, nous avons dressé l'oreille et les murs, le sol, le plafond se sont mis à crisser, à grincer, une odeur âcre d'excréments et de salive nous a soudain saisies. Nous avons dévalé les escaliers, chaque marche cédait dans un nuage opaque, à peine étions-nous dehors que cette belle maison qui nous avait tant coûté s'est effondrée. D'un coup.

Jeunes femmes nerveuses et nues demandant que justice soit rendue.

Marguerite, à neuf ans, raconte aux policiers, *Il m'a mis son zizi dans mon zizi et dans mes fesses, il m'a fait mal au zizi, je me suis mise à pleurer, il m'a reposée par terre. Puis il a recommencé. Il me faisait encore mal.* Marguerite, pour qui du sperme a été trouvé sur la culotte, pour qui le docteur de l'Unité médico-judicaire consulté le jour des faits a confirmé qu'il y avait eu pénétrations vaginale et anale, Marguerite, lorsqu'elle est réentendue, il y a trois ans, rechigne, se cabre, se refuse à traverser cette journée qu'elle avait tenté si désespérément d'oublier, Marguerite se borne à en dire le moins possible et, lors de l'instruction, Marguerite voit sa plainte pour viol disqualifiée en agression sexuelle.

Philippine, au capitaine, il y a trois ans, *Il a introduit son doigt dans mon sexe, j'ai bien senti qu'il y avait quelque chose qui rentrait dans mon sexe*. Philippine, que nul ne prévient qu'il s'agit d'un viol et qu'elle est en droit de demander une requalification, Philippine, pour qui les faits d'agression sexuelle sont prescrits, Philippine voit sa demande de se porter partie civile rejetée.

Mathilda, au capitaine, elle aussi, il y a trois ans, *J'ai la sensation de ses doigts qui s'introduisent entre les lèvres de mon sexe*. Mathilda, qui décrit à la barre qu'elle se souvient de ses doigts à lui en elle, et dont j'aurais voulu que l'avocate bondisse pour signaler aux jurés qu'il s'agit de viol, et que faute de requalification, Giovanni Costa va s'en tirer avec le seul chef d'agression sexuelle.

Juliette, qui s'était constituée partie civile parmi les premières, Juliette s'interrompt brutalement à la barre, perd le fil, ne sait plus, Juliette, pour qui la plainte initiale d'agression sexuelle est prescrite et dont l'avocate demande une requalification en tentative de viol, Juliette reçoit une salve terrible du Président : *Conclusions non recevables, ordonnance de renvoi définitive, non-lieu prononcé, extinction de l'action publique à votre égard !* Ce flegmatique président, semblant inaltéré par les insultes de Costa, cet homme impassible s'empourpre cette seule fois. Elle l'agace, Juliette, à nous raconter toute une vie de douleur le visage désespérément lisse, l'air détaché et la voix monocorde. L'huissier vient me chercher pour la réconforter pendant la suspension d'audience et son inertie m'exaspère moi aussi, j'ai envie de la secouer. J'ai oublié que cette indifférence devrait m'être une balise, que plus une personne est dissociée, plus elle est anesthésiée émotionnellement, plus elle a été exposée à des violences graves, plus elle est en danger d'y être exposée de nouveau. Cet après-midi-là, j'ai pris son absence pour un manque d'intelligence, je l'ai jugée durement, je ne l'ai pas reconnue.

Julia, pour qui les faits d'agression sexuelle sont prescrits, Julia, qui est venue témoigner tout de même, qui y tenait, Julia fond en larmes lorsqu'elle évoque les mois qui ont suivi, où elle était terrifiée à l'idée de devoir se promener seule. Terreur qui ne l'a plus quittée.

Les termes juridiques sont impuissants à qualifier la haine. De témoignage en témoignage, vingt ans après, quoi qu'il leur ait fait, toutes sont en miettes.

Et moi, qui me résous à ne mentionner ni la fellation forcée ni la pénétration digitale anale, à ne dénoncer ni son pénis moite dans ma bouche minuscule ni ses gros

226

doigts dans mon anus, à m'en tenir à ma déposition d'il y a trois ans, afin que mon témoignage ne perde pas en crédibilité, moi qui me borne à glisser que je sais désormais qu'il s'est passé d'autres choses.

Et Laura, dont l'avocat général verse au débat la déposition datant de 2003, pour des faits de viol sur mineur commis en 1983, prescrits, imputés à Giovanni Costa. Vingt ans ont été nécessaires à cette femme pour qu'elle trouve la force d'entrer dans un commissariat et d'y déposer plainte.

Combien, comme elle, n'ont pas été entendues par leurs familles ? Combien sont-elles à t'avoir porté toutes ces années absolument seules, Giovanni ?

Quatre jours ont passé et voilà que je me prends à aimer le cérémonial amidonné de la cour d'assises, les longues robes rouges, l'hermine, les longues robes noires, les gendarmes, le langage châtié et les phrases consacrées. J'aime les bancs aux hauts dossiers de bois sombre qui permettent de soustraire mon visage à la cour quand je suis bouleversée. J'aime la balance, le faisceau, l'œil, la hache, la main de la Justice, cet entrelacs de symboles en stuc qui domine la salle d'audience. J'aime le soutien pudique des gendarmes émus et silencieux et leur tendresse malhabile à notre égard, j'aime la sororité aussi soudaine qu'évidente qui se tisse entre chaque victime, l'intelligence et l'humanité de cet avocat général qui sans cesse précise, pointe, porte à la connaissance. J'aime ces pique-niques qui s'improvisent dans un grand couloir de marbre sous l'œil d'une Justice en bronze, main droite levée, les tables de la loi serrées contre son cœur, j'aime mes convives chaque jour différents qui se relaient pour me soutenir. J'aime quand ma sœur vient soudain me serrer fort dans ses bras, j'aime que ce procès soit aussi un peu celui de l'enjôleur qui a défiguré sa vie. J'aime voir ma tante s'enquérir, dans les bancs du public, de qui est la mère de qui, écouter d'une oreille mon père deviser avec Géorgie l'avocat de la défense, sentir ma mère dresser désespérément l'oreille pour entendre l'avocat général. Et j'aime cet après-midi ensoleillé, où ma tante profite d'une suspension de séance pour nous emmener visiter la Sainte-Chapelle, la douce quiétude des vitraux bleutés au cœur du chaos. J'aime les notes tremblantes et précises de mon mari, ses messages tendres, ses étreintes. J'aime regarder le visage des jurés perdre de leur superbe, témoignage après témoignage, j'aime qu'au fil des jours leurs cernes se creusent, leurs masques s'affaissent, j'aime ces jurés qui se risquent parfois à nous regarder, à nous signifier, le temps d'un battement de paupières, leur empathie, leur humanité.

À force d'aimer, à force de pleurer, je m'approprie peu à peu l'espace-temps de la Justice. Ici où toute mon existence est contenue en quelques mots, ici où j'ai pour toujours neuf ans, ici où le chaos du monde s'ordonne, où l'horreur se qualifie, ici, enfin, je me sens à l'abri, je n'ai rien à prétendre, je me rassemble, enfin, je me ressemble.

Ce matin du cinquième jour, c'est aux psychologues de parler. Ceux qui ont expertisé quatre parties civiles, ceux qui ont expertisé l'accusé.

La première, j'appréhende son témoignage, c'est elle qui m'a jetée à terre, il y a un an et demi. Elle a vu trois d'entre nous.

Pour la première, elle relie *sa fragilité sur le plan psychologique, son profil névrotique, son identité fragile* à tout autre chose qu'au viol, un grave accident, un décès familial. Elle ne présenterait un état de stress post-traumatique que *très léger*. Pourtant cette jeune femme en larmes à la barre a décrit la profonde sidération dans laquelle Giovanni Costa l'avait plongée, elle ne se souvenait presque de rien, elle ne comprenait pas comment du sperme avait été trouvé dans sa culotte, elle ne se souvenait pas d'avoir vu son sexe, mais ensuite, à neuf ans, elle voyait, comme en surimpression, un sexe en érection sur tous les hommes qu'elle croisait. Elle a traversé deux profondes dépressions. Jeune fille, elle a été de nouveau victime de violences sexuelles graves, d'abord d'agressions sexuelles en réunion, puis de viol. Elle raconte qu'elle est chaque seconde sur le qui-vive et qu'à l'approche du procès, sa sexualité a une fois de plus été anéantie.

La deuxième, c'est moi, et si elle m'irrite à raconter en détail ma famille et mes études, ses mots d'après réparent : *État de stress post-traumatique sévère, compatible avec les faits dénoncés.* Pourquoi une telle différence de diagnostic ? J'ai été préparée à cette expertise, on m'a aidée à nouer les liens et à comprendre de quels dégâts il était seul responsable, on m'a entraînée à ne plus minimiser, à ne pas m'excuser.

La troisième, c'est Sybille, vingt et un ans et la beauté en partage. Sybille, en larmes, son corps puissant recroquevillé sur le banc des parties civiles, son corps qui tremble tant qu'aujourd'hui encore mes mains s'en souviennent. Sybille, qui dira, *Il m'a complètement détruite je vis constamment dans la peur.* À Sybille, pourtant, l'experte ne diagnostiquera pas d'état de stress post-traumatique car *chez elle le syndrome de refoulement prend le pas sur le syndrome de répétition.* Qu'est-ce que cela veut dire ? Elle ne prendra pas la peine de l'expliquer aux jurés.

À la fin de son exposé, de toutes celles et ceux qui ont défilé à la barre, elle seule aura droit à un aparté sympathique du Président, *Je sais comme votre profession est bousculée en ce moment.* Elle de lui répondre, balayant d'un revers de la main des mouches invisibles, *Nous sommes du côté de l'Éthique.*

Le second expert se fait attendre trois heures et il est aussi charmé que louangeur : jamais il n'aurait vu *rétablissement psychologique aussi réussi*, sa plaignante, *aux importantes dispositions intellectuelles*, n'aurait *aucune séquelle psychotraumatique*, serait *pour ainsi dire quasiment restaurée*, le retentissement sur sa vie serait *quasi nul aujourd'hui*. Son avocate monte à la charge. *Ah bon ? Pourtant elle n'a pas cessé de pleurer depuis le début du procès, elle s'agrippe à ses séances de thérapie comme à une bouée de sauvetage !* Et l'expert de se débattre, de se justifier, *L'expertise soumet la personne à une réactivation*, *on lui impose un microtraumatisme et on est attentif à la façon dont elle s'organise, je maintiens mon diagnostic.* L'avocat général insiste, parle d'amnésie et de mémoire traumatique et l'expert de s'enferrer dans des explications brouillonnes.

Qu'elle est laide l'ignorance dissimulée sous les airs doctes.

Quelle honte qu'en France les médecins, les psychologues, les policiers et les magistrats ne soient pas systématiquement formés aux symptômes spécifiques liés aux violences sexuelles.

Quand on sait que lorsqu'une victime de violences sexuelles est correctement repérée, diagnostiquée et soignée, elle guérit.

C'est au tour des experts qui ont rencontré Giovanni Costa de parler. Nous sommes affamées de ce qu'ils vont dire, nous qui n'avons rien eu que la chaise vacante dans le box vide et les mille personnages grotesques qu'on y a projetés : Costa l'Italien, l'étalon, l'homme à couilles, Costa le turfiste, le flambeur, le pédicuré aux chaussures croco, Costa le gentleman cambrioleur, le malfaiteur international itinérant, Costa le pauvre vieux accusé à tort, la victime du complot, Costa le solitaire, le marginal, Costa l'enragé écumant d'insultes, Costa le vieux pervers, le satyre qui offre des bonbons aux sorties des écoles, Costa l'ogre, le dévoreur de fillettes tendres, Costa le malade, Costa le détraqué, Costa l'antisocial ; Costa c'est qui ?

Aucun d'entre eux ne m'est familier, aucun ne ressemble à celui qui a établi si longtemps ses quartiers en moi. Non, moi, l'homme que je connais, j'ai reconnu ses traits dans les témoignages des autres filles, j'ai retrouvé sa face dans ses ricanements, ses gifles et ses mots à l'envers.

La première psychologue est en congé, elle a rétorqué à la greffière qu'elle ne ferait pas le déplacement. Le Président lit son compte rendu, elle conclut à une *organisation paranoïaque de sa personnalité*. Ah bon ? Je le sais bien trop intelligent pour croire lui-même aux berceuses qu'il raconte.

La fille qui était dans le même collège que moi n'est pas venue au procès mais je la rencontre peu après. Elle est psychologue. Elle n'est pas en colère contre lui, *Le pauvre, lui, c'est un sociopathe, une personnalité antisociale, un malade.* Elle en veut surtout à la police de ne pas l'avoir interpellé avant. Je me hérisse. Je ne supporte pas qu'on dise cela, ça ne me suffit pas. Ça ne m'éclaire en rien. Ça ne correspond pas à ce que je sais de lui au plus profond de moi. Il n'agit pas de manière impulsive, il ne se jette pas sur nous, il attend. Patiemment, des journées entières. Il choisit l'enfant, le lieu, la mise en scène, il nous approche masqué, il nous dit gentiment les mots mensonges, *Ma femme est enceinte, j'ai deux enfants de neuf et dix ans, je cherche une chambre pour mon grand fils, je suis désolé de te demander, j'ai vraiment besoin d'aide*, il tend méthodiquement son piège, il instille la terreur goutte par goutte, puis il nous utilise sexuellement et plus il nous dégrade, plus il ricane, plus il triomphe. Lorsque nous sommes dissociées, confuses, à sa merci, il nous dit les mots poison, les mots à double-fond, les *Tu aimes ça/vicieuse, je le vois que tu aimes ça/cochonne, ça te rend belle/trainée, ça te fait du bien/catin, ça te plaît, hein, ça te plaît/vicelarde, tu te sens mieux, hein/petite pute, tu es faite pour ça/puttana, tu es une gourmande/ma salope.* Et en dernier les mots cadenas, *C'est notre secret, je suis ton ami, c'est entre toi et moi, n'en parle à personne, ils ne comprendront pas, promets-moi de ne jamais rien dire, tu es gentille, tiens, pour te remercier de m'avoir aidé, je te donne dix-vingt-trente francs, des bonbons, une glace.*

Un deuxième expert vient à la barre. Et ses mots à lui sonnent juste, ses mots à lui réparent. *La responsabilité de l'accusé par rapport aux faits est pleine et entière. Il n'y a pas de cause psychiatrique d'altération ou d'abolition de sa responsabilité pénale.*

Il présente apparemment un délire de persécution de type paranoïaque, mais comme il est exceptionnel que quelqu'un présentant ce type de trouble de la personnalité commette des viols, il s'agit possiblement d'une autre manipulation.

Il est à envisager que l'on soit face à un manipulateur pervers extraordinaire, ce que corrobore le nombre exceptionnel de victimes. Je rappelle qu'en France il y a ce qu'on appelle le chiffre noir des victimes de violences sexuelles, on estime à quatre-vingt-dix pour cent le nombre de victimes de viols qui ne portent pas plainte et ce chiffre est encore plus important pour les enfants. Dans ce dossier, vous avez soixante-douze petites victimes recensées, vous pouvez ajouter un zéro.

Dans le silence glacé qui suit, le Président décide d'une pause avant les plaidoiries des parties civiles.

Mon avocate vient vers moi, elle tient serrées contre elle sept pages en police douze, sept pages douloureuses et secrètes, le condensé des pires moments de mon existence. Elle m'avait demandé de sélectionner, dans mes carnets bleu ciel, les passages qui pouvaient rendre palpable aux jurés la souffrance s'étirant sur les années. Avant de les verser par écrit aux débats, elle voudrait faire lecture de quelques lignes. *Ah non ! C'est hors de question. Ma mère, ma sœur et ma tante sont là. Je ne veux pas qu'elles entendent ça, ça ne leur était pas destiné.*
Mais il y a Marguerite, il y a Sybille, il y a Leïla, il y a toutes ces filles formidables et courageuses qui se sont succédé à la barre, il y a nos souffrances désavouées par les experts du dimanche, alors *oui*, alors *d'accord*. Je pars en courant vers le grand couloir de marbre, je cours voir ma mère, ma sœur, ma tante. *Je suis désolée, mon avocate va lire mes carnets intimes, je ne voulais pas que vous entendiez ça, ces mots ne sont pas pour vous, excusez-moi — je vous aime.*

Mon avocate commence à lire, je me terre sur mon banc, j'ai honte que tous entendent mes laideurs mises à nu.

La lecture finie, je regarde fixement mes mains, prostrée, surtout ne croiser aucun regard. Ma tante, ma tante chérie, vient par-derrière enfouir sa tête dans mes épaules tremblantes et me serrer fort de ses bras, *On est vraiment des nuls, on n'avait rien compris.*

Le Président donne lecture des questions auxquelles lui et les jurés auront à répondre. Quatre-vingt-quatre questions principales, vingt-trois questions subsidiaires. Il s'est assuré, pour chaque victime, que si Giovanni Costa était jugé non coupable, selon les cas, de viol ou d'agression sexuelle, il puisse être jugé coupable de tentative de viol ou de tentative d'agression sexuelle.

Les plaidoiries des avocats des quatorze parties civiles commencent. Dans le défilé de longues robes noires, chacun use d'un style si particulier qu'on croirait à un exposé des pratiques de plaidoirie.

Le rugissant, pointant du doigt le box vide, *Je vous demande de l'anéantir celui-là !*

La faiseuse de belles phrases, la favorite des médias.

La compétente, la vibrante, *Devant l'enfant se dresse une double barrière, celle d'être entendue par ses parents, puis celle que ses parents portent plainte. Les femmes qui comparaissent aujourd'hui comparaissent aussi pour les absentes, pour toutes ces petites filles croisées le long d'une vie tout entière consacrée à faire le mal.*

La désinvestie, celle qui aura passé le procès à envoyer des textos, celle qui avait mieux à faire.

L'abasourdi, l'ému, *Ma cliente, mariée et mère de deux enfants, m'a confié n'avoir jamais eu de relation sexuelle qui n'ait pas été subie.*

Le technique, l'amateur d'articles de loi.

Et la volcanique, dont la plaidoirie éclair et percutante vient clore avec éclat la journée.

Le matin du sixième jour, à mon arrivée, les gendarmes me préviennent : Costa est là. Le Président réunit les avocats des parties civiles qui n'ont pas encore plaidé, il les prévient que le premier à passer sera copieusement injurié, qu'il ne faudra pas se laisser démonter, il leur laisse le choix de qui veut être en première ligne.

Mon mari est assis bien droit à côté de moi, je n'ai pas trop de tout notre amour pour contenir ma peur.

Il entre dans le box, il ne nous regarde pas, il arbore un petit sourire courtois à l'attention du Président et des jurés, il s'assoit. Tous ont les yeux rivés sur lui, quand commencera-t-il à hurler ? Un avocat s'avance et s'adresse à lui, le guette, le toise, le cerne, le charge, et rien. Il ne répond pas. Il reste coi. Il reste coi, mais il est là, il écoute et les mots muent, les mots se mettent à construire, à panser, à redresser, il suffit qu'il soit enfin présent, assis dans le box des accusés et nous assises sur les bancs des victimes, pour que les mots soient à leur place, pour que justice se fasse.

Un autre avocat à la barre, je ne l'entends pas, tu me toises Giovanni et je suis tout entière occupée à soutenir ton regard, à ne pas me dissocier cette fois, à respirer, à sentir ma colère m'ébouillanter tout le temps où tes yeux perçants cherchent à faire baisser les miens. Tu les détournes enfin et dans ce triomphe minuscule je trouve le seuil de ma vie à venir.

Le dernier avocat de la défense, un ténor charismatique et militant, conclut les plaidoiries, *Ces petites filles, elles vont couler du béton, du plomb au-dessus, mais ça moisit au-dessous, ça vous pourrit une vie.*

Giovanni Costa revient après le déjeuner, je dois me pincer pour y croire.

L'avocat général se dresse, immense, il n'est plus courbé vers le petit micro, il surplombe l'accusé, il plonge ses yeux dans les siens et commence son réquisitoire : *Monsieur Costa, vous avez été soit absent, soit odieux et outrageant, mais il va vous falloir répondre de tous ces faits.* Il a la grande robe rouge à col d'hermine, le verbe clair, vif, *Monsieur Costa, dix-neuf de vos victimes sont venues témoigner, vous n'étiez pas là, vous n'avez pas daigné les entendre.* Costa ne baisse pas la tête, il soutient son regard, il marmonne, *Pourriture, Enculé,* il a

239

les mâchoires serrées et les lèvres blanches, mais j'ai neuf ans et dans l'escalier se dresse un beau chevalier rouge à lunettes écaille, un grand justicier bardé d'hermine, saint Georges de Lydda et sa longue lance, alors tu peux cracher, démon.

L'avocat général détaille les faits, victime par victime, j'arrive en deuxième, il saisit ma photo de petite fille imprimée au format A4, mon sourire timide, mon col rond et mes taches de rousseur, il me brandit devant Costa. *Souvenez-vous de cette enfant, de cette enfant que vous avez violée !* Costa bondit, le poing levé, le visage turgescent, tout congestionné de haine, il hurle, *Cette enfant, c'est toi qui l'as violée, enculé ! C'est toi le violeur d'enfant, pourriture !* Et alors qu'à ce moment je ne suis plus rien que de la terreur recroquevillée sur un banc, cette violence, je la reconnais, je la connais par cœur, c'est elle qui m'a mutilée durant toutes ces années, cette laideur, je la distingue enfin au-dehors de moi et libérée, je me redresse. Mes larmes brûlantes s'évaporent à peine coulées.

Le Président lui intime de se tenir tranquille, il se rassoit, mais sitôt que l'avocat général parle de Marguerite, tremblante et digne, ses mains entrelacées aux miennes, il vitupère, il crache, il invective, et lorsque vient le tour de Clara, *C'est des mensonges ! J'étais en Allemagne, à Düsseldorf ! C'est un scandale ! Je vais saisir la presse ! Enculé !* Les gendarmes l'empoignent et le traînent vers la sortie alors qu'il éructe encore.

Nous avons affaire à un toxicomane de la violence, la récidive est certaine. Pour toutes ces vies mises à néant, je demande vingt ans de réclusion criminelle, le maximum prévu par la loi.

Le soir, je vais voir un concert, je chante à tue-tête, je danse, je bois des caïpirinhas, la musique me traverse et m'agit, je danse, je suis immense et infinie, je vibre, je me grise, je me fais un mantra d'un refrain, *ça ira, tu verras*, je le chante à tout-va, j'en fais ma bannière, j'en brode chacune de mes pensées, ce dernier soir, je m'étourdis d'alcool et d'espoir.

Septième et dernier jour. Giovanni Costa est là.

C'est aux avocats de la défense de plaider. Ils ne sont pas Secrétaires de la Conférence pour rien, comme nous sommes dans la salle Victor Hugo, chacun y va de sa citation du *Dernier Jour d'un condamné*. Les phrases sont belles et bien tournées, *Le procès est le moment de la réintégration d'un homme dans la société plutôt que sa mise au ban*. Ils ont à cœur qu'on juge un être humain plutôt qu'un monstre et comme *la balance de la Justice a été déséquilibrée par ce box vide*, la plus pugnace des deux s'emploie à détricoter les mailles serrées de l'accusation.

Aux assises, la conclusion est à l'accusé. Un temps de parole que nul ne peut interrompre et dont le Président, l'œil sur la balance, détermine la durée.

Giovanni Costa se lève, il sourit. Il s'adresse pour la première fois à la cour. Dans un sabir italo-français difficile à suivre, il leur parle de Pétain, des guêpes, du cardinal Mazarin, des vraies pâtes italiennes, de Garibaldi, de la restauration de meubles anciens, de Mussolini, de sa vie de cambrioleur, il parle sans reprendre son souffle, il quitte une idée pour une autre, il gambade, il s'amuse et moi j'ai besoin qu'il réponde de ce qu'il nous a fait, avec deux autres victimes, nous nous levons, debout, nous lui faisons front, nous espérons le faire réagir, et rien, pas un sursaut, pas un regard, imperturbable, tout-puissant, il continue, il joue, il radote son histoire de France pour les imbéciles, moi je n'y arrive plus, je fuis la salle d'audience, je cours dans le grand couloir de marbre, je cours et mes jambes cèdent et je tombe. À quatre pattes, je sanglote et mes larmes sont noires.

Entourée, relevée, épaulée par ma tante et mon avocate, je me reprends et me glisse en silence sur le banc de bois pour subir encore son sabir narquois et erratique, son apothéose.

Chaque fois que le Président le somme de revenir aux faits, il s'indigne, *Je n'ai pas une tête de sadique et de violeur*, il proteste, *On ne viole pas les bébés de deux à trois ans en Italie*, ou bien il détaille le contenu d'une valise laissée dans cet hôtel de Düsseldorf.

Et quand, au bout de quarante interminables minutes, le Président lui demande enfin de conclure, il se fait solennel, *Messieurs et Mesdames les Jurés, Monsieur le Président, je m'excuse, je le dis avec tout mon cœur, je ne suis pas un violeur*. Nous tressaillons toutes au *je*

243

m'excuse, mais peine perdue, pas d'espoir à avoir, rien qu'un tic d'Italien, un *prego,* un mot pour rien.

Les débats sont clos. Le Président, les assesseurs et les jurés se retirent pour délibérer.

Au cours de ces sept journées passées ensemble, j'ai scruté sur leurs visages les traits tirés de la compassion, j'ai eu envie, cent fois, de me joindre à eux pour fumer une cigarette sur les marches du Palais, mais nous avons chacun tenu nos places, nous ne nous sommes pas aventurés aux lisières de la loi et désormais il n'y a plus rien à ajouter, c'est à eux de décider.

Drôles d'heures que celles dévolues à tromper l'attente d'un jugement, à errer dans les rues trop élégantes du centre de Paris, aimantée par le Palais et ses jurés reclus à l'intérieur, accrochée à mon téléphone comme à un test de grossesse.

Et toi Giovanni, qu'as-tu fait ? À quoi, à qui as-tu pensé ? Qui es-tu dans le silence clos d'une cellule, quand personne ne te regarde ?

Ça y est. Plus tôt que ne l'avait prédit la greffière. Six heures de délibéré pour cent sept questions, ils n'ont pas chômé. Mon père saute dans un taxi, ma tante sur son vélo, et nombre de ces filles formidables que tu as voulu anéantir, Giovanni, s'empressent de converger vers la salle Victor Hugo. Nous venons écouter le verdict.

Une heure de plus à attendre les avocats de la défense, injoignables, une heure à tourner en rond pour épuiser l'attente. La Défense arrive enfin. Nous sommes debout. Les jurés entrent.

Giovanni Costa est jugé coupable.
De tout.
Dix-huit ans de réclusion.

Nous nous tombons dans les bras, nous nous adressons de grands sourires timides. Voilà tant de jours, de mois, d'années que je suis assise sur ce banc de bois à attendre l'annonce de ma libération. À toi d'être enfermé désormais, Giovanni, à toi de porter tout le poids de ta haine.

Tu es debout, très droit, le menton haut, les yeux comme des billes d'acier, et voilà que ton accent a totalement disparu, que ton élocution est limpide, les mots que tu prononces d'une clarté chirurgicale. *Je m'excuse, Monsieur le Président, comme vous êtes l'instigateur de ma défaite, torchez-vous bien le cul avec, ce soir, dans les bras de votre compagnon.*

Cinq jours plus tard, je reçois un courrier recommandé. Giovanni Costa a fait appel, seul, sans concertation auprès de ses avocats, le soir du verdict, sitôt arrivé au greffe de la maison d'arrêt.

Je tâche de ne pas m'effondrer, qu'il n'ait pas cette victoire. Je m'effondre tout de même. Je n'ai pas le cœur à recommencer. Je n'ai pas le cœur à attendre deux ou trois ans qu'une nouvelle cour d'assises soit désignée dans un autre département, à me retrouver seule dans une ville étrangère, à me déshabiller encore devant des jurés inconnus. J'ai ma vie à vivre, voilà si longtemps qu'elle m'attend.

J'irai pourtant et j'encouragerai toutes celles que je connais à venir de nouveau. Sans nos témoignages tremblants, nos voix qui se rompent, nos visages tirés de larmes contenues, sans nous, l'horreur du crime s'estompe et le criminel triomphe. Quand les jurés ne sont pas émus, ils sont plus indulgents. J'irai.

J'espérais, naïvement, que le Président se saisirait de ce procès pour faire avancer le droit des victimes de violences sexuelles. J'espérais en vain. Il sait toutes nos vies déchirées, il a entendu, témoignage après témoignage, les conséquences au long cours. Il sait que Costa est insolvable et que les sommes qu'il sera condamné à verser aux parties civiles *en réparation des préjudices subis* seront des sommes symboliques. Il sait que les symboles réparent, il sait le pouvoir de sa longue robe rouge bordée d'hermine, il sait l'impact des mots qu'il prononce. Qu'importe, il se borne à coller aux vieilles jurisprudences, à se conformer aux tarifs en place, quinze mille euros pour le viol, sept mille pour les agressions sexuelles. En France, on peut détruire la vie d'une femme pour le prix d'une voiture d'occasion.

À l'une d'entre nous, dont l'histoire n'est ni plus ni moins terrifiante, ni plus ni moins sordide, il accorde le double. Pourquoi ? On l'ignore, ces décisions-là n'ont pas à être motivées. L'a-t-il trouvée plus émouvante ? Plus digne de recevoir la considération de l'État ? Sa vie à elle aurait-elle plus de prix ? Souffrir ne suffit pas, il faut mériter l'empathie qu'on nous porte.

Nous faisons toutes appel de ses décisions, sauf elle. Il est parvenu à nous diviser.

Ce matin, sur une radio du service public, un comique ajoute un oncle *un peu trop insistant* à une liste de premières expériences sexuelles. Ah ah ah. J'éteins la radio. Quand cessera-t-on de confondre sexualité et

violence, désir sexuel et addiction au stress, consente-
ment et sidération ? Ce qu'expérimente cette nièce ou
ce neveu, ce n'est pas la sexualité, c'est la haine, la toute-
puissance, la laideur. Rien de commun avec le plaisir,
l'étreinte, les caresses, rien, absolument rien, avec la
fusion des corps.

Épilogue

Ton corps est froid. Tu es morte ce jour-là, ce jour du joli mois de mai, et il n'y a rien que je puisse faire pour te rendre le souffle. Phrase après phrase, j'ai cru que d'écrire me permettrait de te retrouver, de te sauver et qu'il suffirait d'un baiser sur ton front pour te réveiller. Mais ton visage est bleu et je ne sais pas comment t'étreindre. Alors je te parle, comme tu parlais à Grand-Père, sous le prunier. Toutes ces années, tu m'attendais, tu savais qu'en cheminant vers toi, je me trouverais. Ce livre, je le dépose auprès de toi, que ces fleurs de papier soient ta couronne.

Le mal qu'il t'a fait est en moi, il ne se détache pas, c'est un rocher de granit noir au milieu d'une prairie. Désormais je le distingue, désormais je me souviens et je joue, je cabriole, je m'ébroue avec mon fils à nous écrouler épuisés de rires et de chatouilles dans les herbes folles et rien ne m'est plus étranger que les images d'hier. Parfois, j'enlace l'homme que j'aime et nos corps exultent, et rien n'existe en nous que la Joie d'être au monde.

La vie n'abandonne jamais, au tréfonds des océans, dans les ténèbres, elle luit.

Dans ma bouche, dans ma gorge, le feu d'artifice d'une pomme croquée à pleines dents, dans mes narines, le long de ma trachée, l'odeur des aiguilles de pin roulées au bout des doigts, dans mes paumes, la chaleur vibrante et moite d'une poignée de terre grasse.

Si j'ai changé dans ce livre les prénoms
des autres victimes, elles m'ont accompagnée
au fil de l'écriture, et c'est en elles
que j'ai trouvé le courage d'avancer.

Merci à Muriel Salmona, ma Docteure en botanique
et archéologie sous-marine.

Merci à Maître Agnès Cittadini, pour sa ferveur,
sa compétence et son humanité.

Merci à mes proches, à toutes celles et ceux
qui m'ont offert leur confiance, leur tendresse,
leur humour, leur amour.

Cet ouvrage a été imprimé par
CPI BRODARD ET TAUPIN
pour le compte des éditions Grasset
en mars 2018

Mise en pages par PCA
44400 Rezé

Grasset s'engage pour
l'environnement en réduisant
l'empreinte carbone de ses livres.
Celle de cet exemplaire est de :
350 g Éq. CO$_2$
Rendez-vous sur
www.grasset-durable.fr

PAPIER À BASE DE
FIBRES CERTIFIÉES

N° d'édition : 20408– N° d'impression : 3028459
Première édition, dépôt légal : mars 2018
Nouveau tirage, dépôt légal : mars 2018
Imprimé en France